170

Lettres, actes et contrats pour la vie des affaires

Zoubida Azzouz

170 Lettres, actes et contrats pour la vie des affaires

Savoir pour agir.

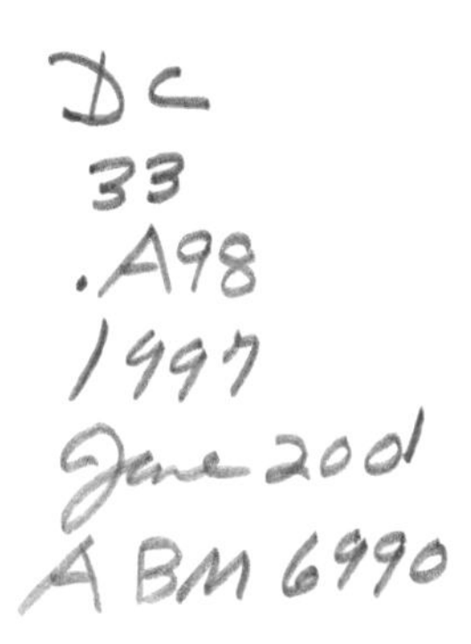

ISBN 2-87691-384-4.
Dépôt légal : 3e trimestre 1997.

Nous nous efforçons de publier des ouvrages qui correspondent à vos attentes et votre satisfaction est pour nous une priorité.
Alors, n'hésitez pas à nous faire part de vos commentaires à :

Éditions Générales First
70, rue d'Assas
75006 Paris
Tél : 01 45 44 88 88.
Fax : 01 45 44 88 77.
Minitel : AC3*FIRST
Internet e-mail : firstinfo@efirst.com
En avant-première, nos prochaines parutions, des résumés de tous les ouvrages du catalogue. Dialoguez en toute liberté avec nos auteurs et nos éditeurs. Tout cela et bien plus sur Internet à : http://www.efirst.com.

A Patrick ABBOU

AVIS AU LECTEUR

En créant une entreprise, vous créez des richesses nationales et des emplois. Et d'abord votre emploi.

Soit pour mettre fin à une période de chômage, soit parce que vous ne supportez plus le statut contraignant de salarié, ou encore parce que vous espérez gagner davantage d'argent.

Tant qu'à travailler beaucoup, autant que cela vous profite.

Quelles que soient vos raisons, la création d'une entreprise représente un exploit, une aventure extraordinaire.

Encore faut-il mettre toutes les chances de votre côté. Vous êtes bon commercial et entreprenant? Bravo, mais cela ne suffit pas.

Certains dirigeants ont vu la ruine de leur entreprise parce qu'ils avaient dédaigné « l'administratif ».

La France est un pays de droit écrit. Cela veut dire un pays de formalités et de paperasse.

On peut trouver cela pesant, mais c'est ainsi, et il faut vous efforcer de respecter vos obligations administratives.

Être un bon dirigeant, ce n'est pas seulement réaliser de bonnes affaires, c'est aussi ne pas risquer de tout perdre en ne respectant pas le formalisme du droit des sociétés, les règles et les délais stricts de la fiscalité, ou les contraintes du droit du travail.

Être un bon gestionnaire, c'est aussi ne pas signer des contrats ou des lettres sans les lire entre les lignes.

Vouloir créer une entreprise, c'est bien. Mais se pose aussitôt la question de sa forme. Faut-il exploiter en entreprise individuelle ou en société? Et, dans ce cas, quel type de société choisir? SARL, EURL, SNC, société anonyme? Pour le créateur d'entreprise, le choix de la structure est primordial. Car un mauvais choix peut, plus tard, avoir des conséquences redoutables.

Les possibilités sont très nombreuses, mais il n'existe pas de forme d'exploitation idéale pour tous les projets. Cela dépend d'un certain nombre d'impératifs : vos moyens financiers au moment de la création, votre secteur d'activité, l'importance du marché...

Ainsi, l'entreprise individuelle convient mieux à une activité destinée à demeurer modeste, tandis que la forme sociétale offre davantage de possibilités d'expansion.

Bien choisir la structure adaptée à vos projets et à vos ambitions, c'est mettre les chances de réussite de votre côté. Car le choix d'une forme d'exploitation a notamment des effets aux plans juridique, fiscal et social.

C'est pourquoi cet ouvrage se propose de vous aider au moment de la création de votre entreprise, mais aussi tout au long de sa vie.

Il vous propose également des lettres qui faciliteront vos relations avec vos clients, vos fournisseurs, le fisc ou encore l'URSSAF mais aussi des contrats et des actes qui vous aideront dans la gestion quotidienne de votre affaire.

SOMMAIRE

PREMIÈRE PARTIE

EXERCER EN ENTREPRISE INDIVIDUELLE

CHAPITRE PREMIER

SPÉCIFICITÉS DE L'ENTREPRISE INDIVIDUELLE

Près de 55 % des entreprises nouvelles sont créées sous cette forme. C'est la structure la plus simple, mais c'est aussi celle qui comporte le plus de risques.

Être exploitant individuel, cela veut dire exercer une activité en nom propre.

C'est le statut adopté par la majorité des commerçants ou artisans.

Dans ce cas, le fonds de commerce ou l'entreprise fait partie de votre patrimoine global au même titre que votre logement, votre voiture, vos meubles, votre compte bancaire...

Pour créer une entreprise individuelle, vous n'avez pas besoin de capital.

Vous êtes seul maître à bord et vous êtes seul à percevoir les bénéfices de l'exploitation. Mais vous êtes indéfiniment et solidairement responsable des dettes de votre entreprise.

Il n'existe pas de séparation entre votre patrimoine personnel et celui de l'entreprise. Ce qui représente un net inconvénient car, en cas de liquidation judiciaire, vos biens (maison, appartement, véhicule, mobilier...) sont vendus pour payer les dettes de l'exploitation.

L'entreprise individuelle est donc conseillée pour les activités comportant peu de risques. Elle peut aussi être utilisée pour tester un projet dont la rentabilité n'est pas certaine.

Votre épouse (ou époux) peut travailler dans l'entreprise et percevoir un salaire, si elle (il) a le statut de collaborateur salarié.

En revanche, en tant qu'exploitant, vous ne pouvez pas être salarié de l'entreprise. Vous avez un statut de travailleur indépendant. Vous cotisez donc au régime de Sécurité sociale des travailleurs indépendants.

Si les inconvénients de l'entreprise individuelle vous paraissent trop importants, vous pouvez créer une entreprise unipersonnelle à responsabilité limitée (EURL). Elle fonctionne comme une entreprise individuelle, puisque vous êtes seul maître à bord, tout en vous permettant de limiter votre responsabilité.

Comme l'EURL n'est qu'une forme de SARL créée par un associé unique, nous en précisons les caractéristiques dans la partie consacrée à la SARL. (voir page 57).

1. La fiscalité directe

En principe, le centre de formalités des entreprises prévient le Centre des impôts de la création de votre entreprise. Mais souvent, il le fait tardivement.

Pour éviter des surprises, faites vous-même une déclaration d'existence au Centre des impôts. C'est tout simplement une lettre qui informe le fisc de la création de votre entreprise (voir lettre page 104).

Quoi qu'il en soit, les profits réalisés par votre entreprise individuelle commerciale, industrielle ou artisanale constituent des bénéfices industriels et commerciaux (BIC). Il existe quatre régimes d'imposition du bénéfice commercial.

• *Le forfait*

Dans ce système, vous n'avez pas besoin de tenir une vraie comptabilité. Le bénéfice est calculé par l'agent des impôts de manière forfaitaire, c'est-à-dire « au jugé », approximativement.

Le régime du forfait est réservé aux petites entreprises, celles dont le chiffre d'affaires ne dépasse pas certaines limites précisées dans le tableau page 31.

Attention, le régime du forfait doit être demandé en tout début d'activité. Après, il est trop tard et vous êtes d'office soumis au régime du bénéfice réel.

Pour obtenir la fixation d'un bénéfice forfaitaire, vous devez vous adresser au Centre des impôts (CDI) du lieu où se trouve votre entreprise.

Le régime du forfait est avantageux, car le bénéfice fixé par l'agent des impôts est en général nettement plus faible que son montant réel.

En revanche, si vous savez que votre activité sera déficitaire, le forfait est déconseillé. En effet, dans le régime du forfait, les déficits (pertes) ne peuvent pas être déduits de vos autres revenus.

Quoi qu'il en soit, le bénéfice forfaitaire est ajouté à vos autres revenus et soumis, avec eux, au barème progressif de l'impôt sur le revenu (IR).

• ***Le bénéfice réel simplifié***

Si votre chiffre d'affaires dépasse les limites fixées pour bénéficier du forfait, vous êtes obligatoirement soumis au régime du bénéfice réel.

Il en est de même si vous ne souhaitez pas relever du régime du forfait.

Votre bénéfice est déterminé d'après la réalité de votre activité en fonction d'une vraie comptabilité.

Le terme « simplifié » veut simplement dire que vos obligations déclaratives sont allégées. Autrement dit, la liasse fiscale (déclaration de résultat) que vous devez fournir est réduite.

Avec ce régime du réel, si votre activité est déficitaire, votre déficit est déduit de vos autres revenus.

• ***Le régime du réel normal***

Comme dans le cas précédent, le bénéfice est déterminé en fonction de la réalité de vos affaires et de votre comptabilité.

Les déclarations fiscales à fournir sont plus importantes.

Si votre activité est en perte, le déficit vient en déduction de vos autres revenus.

Les avantages fiscaux des centres de gestion agréés

Si votre activité est imposée selon un régime réel (bénéfice réel simplifié, ou bénéfice réel normal), vous pouvez adhérer à un centre de gestion agréé (CGA) qui se chargera de tenir votre comptabilité.

En contrepartie de cette adhésion à un CGA, vous avez droit à deux avantages fiscaux substantiels :

- un abattement de 20 % sur votre bénéfice jusqu'à 693 000 F;
- une déduction plus élevée du salaire versé à votre conjoint(e), puisque cette rémunération est déductible à hauteur de 228 600 F (exercice de 1996). Ce chiffre est réévalué chaque année.

Le régime des micro-entreprises

C'est le régime le plus simplifié qui existe. Il est prévu pour les toutes petites activités qui ne dépassent pas un chiffre d'affaires ou des recettes de 100 000 F par an.

Les frais sont forfaitairement évalués à 50 % du montant de vos recettes si l'activité est commerciale.

Pour bénéficier de ce régime, vous n'avez pas de déclaration spéciale à faire. Il vous suffit de reporter le montant de vos recettes sur votre déclaration annuelle de revenus n° 2042. Avant d'imposer ces recettes, l'Administration leur applique l'abattement de 50 %.

Régimes d'imposition du bénéfice de l'entreprise individuelle		
Ventes de biens	***Prestations de services***	***Régime d'imposition***
CA annuel HT supérieur à 5 000 000 F	CA annuel HT supérieur à 1 500 000 F	Bénéfice réel normal
CA annuel compris entre 500 000 F TTC et 5 000 000 F HT	CA annuel compris entre 150 000 F TTC et 1 500 000 F HT	Bénéfice réel simplifié
CA annuel compris entre 100 000 F HT et 500 000 F TTC	CA annuel compris entre 100 000 F HT et 150 000 F TTC	Régime du forfait
CA annuel HT ne dépassant pas 100 000 F	CA annuel HT ne dépassant pas 100 000 F	Régime des micro-entreprises

2. La taxe sur la valeur ajoutée (TVA)
Dans les quinze jours du début d'activité, vous devez souscrire une déclaration d'existence auprès du service chargé de la TVA.

Vous devez remplir chaque mois une déclaration de TVA (appelée CA3). Mais si le montant exigible de votre taxe est inférieur à 12 000 F par an, vous pouvez rédiger des déclarations trimestrielles de TVA.

Les déclarations de TVA. sont à faire à la Recette des impôts du lieu où se trouve votre entreprise. Tout ce qui concerne les impôts sur le bénéfice, l'impôt sur le revenu et la taxe professionnelle est de la compétence du Centre des impôts (CDI).

Enfin, si vous êtes sous le régime du forfait, l'agent des impôts fixe un forfait « bénéfice-TVA ».

CHAPITRE II

LES ÉTAPES POUR CRÉER UNE ENTREPRISE INDIVIDUELLE

1. Choisir un local

Le choix du local dépend de l'activité que vous allez exercer. S'il s'agit d'une activité commerciale, vous devez être locataire ou propriétaire d'un local commercial.

S'il s'agit d'une activité libérale, vous devez être titulaire d'un bail professionnel.

Si vous voulez transformer tout ou partie de votre habitation en local professionnel, vous devez demander à votre mairie un changement d'affectation des locaux.

Dans tous les cas, vous pouvez domicilier votre entreprise dans votre habitation, mais uniquement pendant une période maximale de **deux ans.**

Attention, il s'agit d'une domiciliation pour le téléphone, le fax, le courrier…

Vous ne pouvez pas exercer le commerce chez vous.

Et s'il s'agit d'une activité non commerciale, vous ne pouvez l'exercer chez vous que si elle n'occasionne aucune gêne au voisinage. Vous ne devez en aucun cas transformer votre appartement en un local équipé de machines bruyantes, avec visites incessantes et stockage de matériel...

En outre, si vous êtes locataire, vous devez avertir votre bailleur que vous domiciliez votre entreprise chez vous (voir lettre page 64). Il ne peut pas s'y opposer.

2. Vérifier si l'activité est réglementée

Si la liberté du commerce est un principe, cela n'empêche pas que l'exercice de certaines activités soit réglementé.

Ainsi, pour certaines activités, on exige un diplôme, un stage ou une carte professionnelle délivrée sous condition. Il est, par exemple, nécessaire d'avoir un CAP pour les coiffeurs, une licence en droit pour les agents immobiliers...

Pour savoir si l'activité est réglementée, vous pouvez vous adresser à la Direction départementale de la concurrence, de la consommation et de la répression des fraudes (voir adresse page 417) de votre département, qui dépend du ministère de l'Économie.

Si vous êtes artisan, quelle que soit l'activité envisagée, vous devez suivre un stage de gestion de quatre jours. La chambre des métiers vous fournit la liste des organismes qui proposent ce genre de stages.

3. Trouver un nom pour l'entreprise

Pour une entreprise individuelle, il n'est pas nécessaire de choisir un nom. Le nom de l'entreprise, ce sera tout simplement le vôtre.

Exemple : vous vous appelez Alain Palais, l'entreprise va s'appeler « Entreprise Alain Palais » ou « Entreprise Palais », selon votre préférence.

Vous pouvez cependant choisir un « nom commercial » qui va désigner votre entreprise. Dans ce cas, il s'agit d'un nom de fantaisie, que vous inventez. Par exemple : « Aurélia, fleurs » ou « Entreprise niçoise de transport », « Coiffure David »...

Faites cependant une recherche d'antériorité auprès de l'Institut national de la propriété industrielle (INPI) pour vérifier si ce nom n'est pas déposé auprès de cet organisme et donc protégé. Il n'existe qu'un seul INPI pour toute la France. Vous pouvez vous y rendre ou demander la recherche d'antériorité (payante) par courrier (voir modèle page 59).

CHAPITRE III

FORMALITÉS POUR IMMATRICULER UNE ENTREPRISE INDIVIDUELLE

Au plus tard dans les quinze jours suivant le début de l'activité, vous devez immatriculer votre entreprise au Registre du commerce et des sociétés (RCS) ou au Répertoire des métiers, si vous êtes artisan. Mais vous ne pouvez pas vous adresser directement au RCS ou au Répertoire des métiers.

Vous devez passer par le Centre de formalités des entreprises (CFE) qui se chargera d'obtenir votre immatriculation au RCS.

Les centres de formalités sont dirigés par les chambres de commerce ou les chambres de métiers.

Le CFE auquel vous devez vous adresser dépend de la nature de votre activité, comme le montre le tableau page suivante.

Où vous adresser pour immatriculer votre entreprise individuelle ?

SI VOUS ÊTES...	VOUS DÉPENDEZ DU CFE
Commerçant, industriel, prestataire de service	Chambre de commerce et d'industrie
Artisan	Chambre de métiers
Agent commercial	Greffe du tribunal de commerce
Profession libérale	URSSAF

Dossier d'immatriculation

Les formalités d'immatriculation d'une entreprise individuelle sont très simples. Il suffit de vous procurer un « dossier » complet auprès du CFE.
Ce dossier comporte :

- un formulaire de création (appelé liasse MC) en trois exemplaires;
- une attestation de non condamnation à remplir et à signer;
- une demande d'affiliation (TNS), destinée aux caisses de retraite des travailleurs non salariés;
- un pouvoir vous permettant d'autoriser une autre personne (conjoint, enfant, ami...) à faire les formalités d'immatriculation à votre place.

A ce dossier, dûment rempli et signé, vous devez joindre certaines pièces (voir tableau page suivante).

Pièces à fournir pour immatriculer une entreprise individuelle

• **Justificatifs de l'état civil**	• **Justificatifs de votre situation matrimoniale**
Si vous êtes européen : – Copie recto verso de la carte d'identité ou du passeport – Fiche d'état civil	Si vous êtes marié(e) – Extrait original d'acte de mariage (si vous en avez passé un)
Si vous êtes non européen : – Carte de résidence ou carte de travail	Si vous êtes divorcé(e) ou séparé(e) de corps : – Extrait original d'acte de naissance ou de mariage avec mention du jugement de divorce ou de séparation de corps
Justificatif d'un local : – copie du bail ou titre de propriété	
Si vous êtes artisan : – Justificatif du stage d'initiation à la gestion	Si vous êtes veuf(ve) : – Extrait original d'acte de décès du conjoint

Le CFE auquel vous devez vous adresser est celui du lieu où se trouve le siège de votre entreprise. En principe, il existe un CFE par département. Si vous ne connaissez pas l'adresse de celui dont vous relevez, téléphonez à la chambre de commerce la plus proche ou à la mairie de votre domicile qui vous l'indiquera.

Vous pouvez envoyer votre dossier au CFE par La Poste, mais il est préférable, si vous le pouvez, de vous rendre sur place pour le déposer. Ainsi, l'agent d'accueil, au guichet, va immédiatement contrôler si votre dossier est complet et bien rempli. Et s'il manque un document, il vous l'indiquera immédiatement.

En outre, les dossiers reçus au guichet sont traités beaucoup plus rapidement que ceux reçus par courrier.

L'entreprise individuelle existera officiellement à dater de l'immatriculation. Comptez entre cinq jours pour les CFE les plus dynamiques et un mois pour les autres.

Le coût de l'immatriculation s'élève actuellement à 712,55 F, que vous devez payer par chèque au moment où vous déposez votre demande d'immatriculation.

DEUXIÈME PARTIE

EXERCER EN SOCIÉTÉ

CHAPITRE PREMIER

CONSTITUTION DE LA SOCIÉTÉ

Une société est un groupement de personnes qui décident de mettre en commun des capitaux, du savoir-faire, une expérience, un talent... dans le but de réaliser et de partager des bénéfices.

Elle représente ainsi une technique pour organiser un partenariat entre des personnes qui ont décidé de collaborer.

C'est donc la société qui exerce l'activité. Elle a une personnalité propre indépendante des personnes physiques qui la composent. On dit qu'elle a la « personnalité morale », c'est-à-dire qu'elle est sujet de droits et d'obligations.

Son patrimoine ne se confond pas avec celui des associés.

Il existe de multiples formes de sociétés.

A chaque forme correspond un ensemble de conséquences juridiques, fiscales et sociales. Le choix de la forme de votre société est donc très important.

Il n'existe pas une structure idéale pour tous les projets.

Législation sur les sociétés commerciales

Quelle que soit sa forme, une société doit respecter les lois en vigueur, notamment :

- la loi n° 66 537 du 24 juillet 1966. Plusieurs fois modifiée, cette loi est fondamentale et pose tous les principes applicables aux sociétés commerciales;
- le décret n° 67 236 du 23 mars 1967, qui complète et précise la loi précédente.

Cette loi et ce décret sont codifiés dans le Code de commerce. Vous pouvez acquérir un exemplaire du Code de commerce dans toutes les librairies juridiques. Le plus souvent, ces librairies spécialisées se trouvent près des facultés de droit.

I. LA SOCIÉTÉ À RESPONSABILITÉ LIMITÉE

La société à responsabilité limitée (SARL) est la forme de société qui rencontre le plus de succès. Parce qu'elle est à mi-chemin entre les sociétés de personnes et les sociétés de capitaux, la SARL occupe une place à part et très importante dans l'économie française; 60 % des sociétés sont des SARL.

A. CONDITIONS POUR CRÉER UNE SARL

1. Conditions générales

• *Deux associés au minimum*

Pour créer une S.A.R.L., il faut au minimum deux associés. Donc vous-même et une autre personne. Deux époux peuvent seuls ou avec d'autres personnes créer une S.A.R.L.

Ainsi, l'autre associé peut être un membre de votre famille, par exemple, épouse (ou époux), enfant, père, mère, frère, sœur... ou encore un ami, une relation...

Biens de communauté, attention...

Si vous êtes marié sous le régime de la communauté et si vous apportez des biens de communauté (argent, biens en nature...), votre épouse (ou époux) peut revendiquer la qualité d'associé à part entière et la moitié des parts sociales qui vous seront attribuées. Elle (il) peut revendiquer cette qualité d'associé à tout moment. Pour éviter une revendication ultérieure, il convient d'envoyer une lettre d'avertissement (voir modèle page 60) au (à la) conjoint(e) de chaque (futur) associé marié sous le régime de la communauté pour l'informer de son droit de participer à la société. Si le (la) conjoint(e) de l'associé ne souhaite pas participer à la société, il faut lui faire signer une attestation de renonciation (voir modèle page 62).

Surtout, respectez bien cette formalité, même si votre futur associé vous dit que son épouse s'en désintéresse.

En cas de difficultés ultérieures dans le couple, elle (ou son avocat) saura aisément comprendre et revendiquer ses droits.

Vous devez être au minimum deux associés, mais au maximum cinquante. Vous pouvez donc constituer une SARL à deux, trois, quatre, cinq, six, sept personnes... du moment que vous êtes moins de cinquante.

Un mineur peut être associé d'une SARL.

Attention de bien choisir votre ou vos associés.

S'associer, c'est s'engager sur une longue période. Il faut donc bien connaître celui ou celle avec qui vous choisissez de vous associer.

Si vous êtes un grand travailleur, votre association avec un paresseux va rapidement tourner à l'aigre.

Une association peut s'apparenter à un mariage, tant les contraintes sont nombreuses.

Et on a vu des sociétés rentables finir par péricliter à la suite de dissensions entre les associés.

• *Capital social*
Pour constituer une SARL, il est exigé un capital minimal de 50 000 F. Ce capital provient des apports effectués par chaque associé.

Les apports peuvent être faits en numéraire, sous forme d'espèces, de chèques, de virements...

Dépôts des fonds dans une banque
Les fonds doivent être déposés dans une banque (qui ouvre un compte au nom de la société en formation) ou auprès d'un notaire dans les huit jours de leur réception. Ils vous seront restitués par la banque ou le notaire dépositaire dès que votre société aura obtenu son immatriculation au Registre du commerce et des sociétés.

Les apports peuvent aussi être faits en nature : fonds de commerce, bureau, matériel, droit au bail, brevet...

Lorsqu'il y a des apports en nature, il faut désigner un commissaire aux apports pour qu'il fixe la valeur des éléments.

En échange de son apport, un associé reçoit des parts sociales, qui constituent la preuve qu'il est propriétaire d'une partie du capital de la société.

Le capital est divisé en parts sociales de valeurs égales. La valeur nominale des parts sociales est librement fixée dans les statuts. Le plus souvent, on fixe la valeur d'une part à 100 F, mais cela n'a rien d'obligatoire.

Ainsi, un capital de 50 000 F est constitué de 500 parts sociales de 100 F chacune.

Et si, par exemple, cinq associés ont fait un apport de 10 000 F chacun, le nombre de parts sociales remis à chacun s'élève à 100.

• *Objet social*
Une société a obligatoirement un objet social, c'est-à-dire une mission pour laquelle elle a été créée et une activité qu'elle doit exercer.

L'objet social doit être indiqué dans les statuts, mais il peut être très large. Ce qui permet d'exercer d'autres activités sans avoir à rédiger de nouveaux statuts.

• ***Dénomination sociale***

Alors que les personnes physiques ont un nom de famille pour les désigner, les sociétés, elles, ont une dénomination sociale.

Le choix de la dénomination est libre.

Il peut s'agir :

- d'une dénomination tirée de l'objet social. Exemple : Transports Dumas; Morant-Sanitaire... ;
- une dénomination de pure fantaisie, que vous inventez. Exemples : IMALEC, IFAVI, Société niçoise de déménagements... ;
- une dénomination comportant le nom d'un ou plusieurs associés. Exemple : Société Maurin et Lenoir.

La liberté est grande, mais vous ne pouvez mettre les mots « solde » et « fondation » dans l'intitulé de votre dénomination sociale.

Il faut faire une recherche d'antériorité auprès de l'Institut national de la propriété industrielle (INPI) pour vérifier si le nom que vous choisissez n'est pas déjà pris, et donc protégé.

Une fois que vous avez choisi une dénomination, vous pouvez la déposer à l'INPI afin que d'autres ne puissent pas l'utiliser.

La dénomination sociale doit figurer dans les statuts et sur tous les documents de la société.

• ***Siège social***

De même qu'une personne physique a un domicile, une société doit avoir un siège social, c'est-à-dire un lieu où elle exerce son activité et où elle peut être contactée.

Domiciliation temporaire. Vous pouvez toutefois fixer le siège social à votre domicile ou à celui d'un autre associé pendant une période maximale de deux ans.

Vous avez le droit d'effectuer cette domiciliation même si une clause de votre bail, un règlement de copropriété ou un cahier des charges l'interdit.

En bref, nul ne peut vous empêcher de domicilier votre société chez vous.

Vous devez cependant, si vous êtes locataire, avertir le bailleur de votre intention ainsi que le syndic de l'immeuble si vous êtes copropriétaire.

Attention, domicilier ne veut pas dire que vous pouvez transformer l'immeuble ou votre appartement en lieux bruyants et invivables pour le voisinage.

Domiciliation collective. De nombreuses sociétés proposent des domiciliations, c'est-à-dire une adresse postale. Vous n'avez pas de locaux, mais on vous fournit une adresse officielle. La société de domiciliation doit vous faire signer un contrat de domiciliation. Elle se charge ensuite de vous renvoyer le courrier qui arrive.

Pour une domiciliation, comptez entre 150 et 600 F par mois. A ce « loyer » s'ajoute souvent le prix de réexpédition du courrier, entre 80 et 200 F par mois.

Attention, certaines sociétés de domiciliation annoncent des prix très bas et facturent ensuite une multitude de services au prix fort. Avant de signer, demandez ce que comprend exactement le prix et s'il inclut la TVA.

• ***Droits des associés***

Le patrimoine de la société est isolé du patrimoine des associés qui la composent.

Ainsi, en tant qu'associé, vous avez une responsabilité limitée. Vous êtes responsable des dettes uniquement à hauteur du montant de votre apport.

Si la société périclite, vous perdez uniquement le capital que vous avez investi ; on ne touche pas à votre patrimoine personnel.

Toutefois, le gérant d'une SARL est personnellement responsable des fautes de gestion qu'il commet.

Les associés doivent partager les bénéfices en proportion du montant de leurs apports.

Exemple : si vous détenez 20 % du capital, vous avez en principe droit à 20 % des bénéfices.

Les associés ont le droit de participer aux assemblées et de poser des questions écrites au gérant.

• ***Durée de la société***
Selon la loi sur les sociétés commerciales, les statuts doivent obligatoirement indiquer la durée de la société.

Il est usuel d'indiquer une durée de 99 ans, durée maximale autorisée par la loi.

2. Fonctionnement de la société
Rôle du gérant : la société est dirigée par un ou plusieurs gérants pris parmi les associés ou à l'extérieur.

Dans la grande majorité des cas, il s'agit d'un gérant associé (voir page 96), nommé sans précision de durée.

Le gérant est le représentant légal de la société. C'est lui qui a le pouvoir de la représenter et de signer tous les actes et contrats en son nom.

C'est notamment le gérant qui signe les déclarations fiscales, sociales... faites au nom de la société. C'est encore le gérant qui convoque les associés aux assemblées générales.

Un gérant est minoritaire s'il possède moins de la moitié du capital social. Il est majoritaire s'il possède la moitié du capital social plus une part. Pour apprécier ces limites, on retient les parts de son(sa) conjoint(e), quel que soit le régime matrimonial, et celles de ses enfants mineurs non émancipés.

Au regard du droit de la Sécurité sociale, le gérant minoritaire a en principe un statut de salarié et est donc affilié au régime général de Sécurité sociale des salariés et au régime d'assurance-chômage.

Mais, en pratique, peu de gérants ont droit aux allocations-chômage. En effet, pour en bénéficier, les ASSEDIC exigent qu'il y ait entre le gérant et la société qui l'emploie un lien de subordination. Or, par nature, les pouvoirs du gérant ne s'accommodent pas d'un lien de subordination.

Pour éviter de cotiser inutilement, vous pouvez interroger par avance la caisse des ASSEDIC (voir lettre page 407) dont dépend votre société, afin de savoir si, en cas de révocation, vous auriez droit aux allocations de chômage.

Si les ASSEDIC vous font savoir qu'elles ne vous considèrent pas comme salarié, vous pouvez adhérer au régime d'assurance-chômage des dirigeants. Ces organismes sont gérés par des fédérations patronales.

Enfin, un gérant peut cumuler un contrat de travail avec son mandat social de gérant.

Le contrat de travail doit correspondre à des fonctions différentes de celles de gérant.

Le gérant majoritaire doit cotiser au régime de Sécurité sociale des travailleurs indépendants.

3. Fiscalité

• ***L'IS sur les bénéfices sociaux***

Les bénéfices réalisés par la société sont soumis à l'impôt sur les sociétés (IS) au taux de 41,2/3 %.

• Les sociétés qui ne réalisent pas de bénéfices, et qui sont donc en perte, paient un IS particulier appelé Imposition forfaitaire annuelle (IFA), dont le montant varie en fonction du chiffre d'affaires. A titre d'exemple, l'IFA s'élève à 5 000 F si le chiffre d'affaires, taxes comprises, est inférieur à 1 000 000 F; à 7 500 F, si le chiffre est compris entre 1 000 000 et 2 000 000 F.

• ***L'IR sur les bénéfices distribués***

Le reste du bénéfice peut être distribué en tout ou partie entre les associés.

On dit qu'ils reçoivent des **dividendes**.

Mais, en plus du dividende, l'associé reçoit un avoir fiscal, correspondant à l'IS que la société a payé.

L'associé « récupère » ainsi l'IS payé par la personne morale.

Vos dividendes sont soumis à l'impôt sur le revenu dans la catégorie « revenus des capitaux mobiliers ». Mais ils bénéficient d'un abattement de 8 000 F (personne seule) ou de 16 000 F (couple marié) avant d'être ajoutés à vos autres revenus et soumis avec eux au barème progressif de l'IR.

Pour une entreprise individuelle, comme pour une société, n'oubliez pas...

- d'assurer votre entreprise (assurance dommages, responsabilité civile...) ;
- d'informer La Poste de son existence;
- d'acheter (dans une librairie financière) le livre-journal, le livre d'inventaire que vous devez obligatoirement faire coter et parapher par le greffe du tribunal de commerce. Vous devez également acheter un grand-livre et un livre d'entrée et de sortie du personnel (réclamé par l'U.R.S.S.A.F. et les inspecteurs du travail en cas de contrôle) ;
- d'adhérer à un centre de médecine du travail, si vous avez des salariés;
- de faire une déclaration d'existence auprès du centre des impôts et de la Recette des impôts (pour la T.V.A.).

Cependant, vous n'avez pas droit à cet abattement si vous détenez (avec votre conjoint et vos enfants mineurs) plus de 35 % du capital social.

• ***L'imposition de la rémunération du gérant***

Au plan fiscal, le gérant minoritaire est considéré comme un salarié. Ses rémunérations ne sont soumises à l'IR qu'après application d'une déduction forfaitaire pour frais de 10 % et d'un abattement de 20 %.

Mais, depuis 1996, la loi fiscale a décidé que « les rémunérations des gérants majoritaires » sont imposées comme des traitements et salaires et bénéficient des mêmes avantages.

Désormais, que vous soyez gérant majoritaire ou gérant minoritaire, il n'y a plus de différence fiscale : dans un cas comme dans l'autre, vous avez droit à la déduction de 10 % et à l'abattement de 20 %.

B. ÉTABLISSEMENT DES STATUTS

La société est un contrat conclu entre plusieurs personnes qui décident de s'associer. Cet accord se matérialise par un document appelé « statuts », qui doit être signé par chacun des associés.

1. Rédaction des statuts

Les statuts doivent être rédigés avec le plus grand soin puisqu'en cas de difficultés entre associés ils seront utilisés pour trancher le litige.

Vous pouvez rédiger vous-même vos statuts. Nous vous en proposons un modèle en page 67, immédiatement utilisable, il vous suffit de le compléter avec les informations personnelles qui vous concernent (dénomination sociale, siège social, montant du capital, nom des associés, montant de l'apport de chacun...).

Mais si vous êtes marié sous le régime de la communauté de biens et que vous utilisez des fonds ou des biens propres que vous ne souhaitez pas voir tomber dans la communauté, vous avez, dans ce cas, intérêt à demander à un notaire d'établir vos statuts. Ainsi, il pourra y inclure une clause d'emploi ou de remploi.

Exemple : vous êtes seul propriétaire d'un logement que vous possédiez avant votre mariage ou que vous avez reçu après le mariage par héritage ou une donation, et vous le vendez pour créer votre société. Si vous ne prenez aucune précaution, les parts sociales feront partie de la communauté, c'est-à-dire qu'elles appartiendront à votre épouse (ou époux) pour la moitié.

Vous avez dans ce cas intérêt à demander au notaire d'établir des statuts notariés dans lesquels il mettra une clause de remploi, c'est-à-dire qu'il indiquera que l'argent ayant servi au capital de la société provient de la vente d'un bien qui vous appartient en propre.

Autre exemple : vos parents vous donnent une somme d'argent pour créer votre société. Vous avez intérêt à leur faire établir ce don devant notaire. Ensuite, vous lui demandez de rédiger les statuts dans lesquels il va inclure une clause d'emploi. C'est-à-dire indiquer que, pour créer le capital de votre société, vous avez fait un « emploi » de l'argent de vos parents.

2. Consultation du conjoint

Comme nous l'avons déjà précisé, si un associé utilise des biens ou des fonds faisant partie de la communauté, il doit avertir son conjoint qu'il a le droit d'être associé. Et, s'il ne le souhaite pas, il faut lui faire signer une attestation de renonciation.

N'imaginez pas que vous pouvez créer la société sans que le conjoint le sache. En effet, la loi lui permet de revendiquer la qualité d'associé à tout moment.

Ainsi, une épouse vient de revendiquer la qualité d'associée d'une société créée avec des fonds de la communauté, cinq ans auparavant.

3. Nombre d'exemplaires de statuts à prévoir

Vous devez prévoir plusieurs exemplaires des statuts et au minimum quatre exemplaires originaux qui seront répartis ainsi :

- un exemplaire doit rester au siège social. Vous avez d'ailleurs intérêt à en faire des photocopies et à déposer l'original dans un coffre de banque. Un incendie, un dégât des eaux peuvent arriver si vite ;
- un autre original est destiné au bureau de l'enregistrement, qui le conservera dans ses archives ;
- deux autres exemplaires sont destinés au greffe du tribunal de commerce (qui les conserve).

Enfin, il faut prévoir autant d'originaux qu'il y a d'associés. Exemples : si vous êtes quatre associés, il faut prévoir quatre originaux supplémentaires.

Ces statuts originaux doivent être paraphés sur toutes les pages et signés à la dernière page par **tous** les associés. Exemple : vous vous appelez Noël Leroy. Sur chacune des pages, vous indiquez « NL » (les autres associés en font autant) et, sur la dernière page des statuts, vous signez de votre nom en entier.

4. Reprise des actes conclus antérieurement à la signature des statuts

L'existence légale de la société ne débute qu'à compter du jour de son immatriculation au RCS. Or, les associés-fondateurs sont amenés à conclure un certain nombre d'actes et de contrats bien avant cette immatriculation et bien avant la signature des statuts : signature d'un bail pour des bureaux, engagement d'un salarié, achat de matériel…

C'est sans doute l'étape la plus délicate de votre création de société, tant les risques sont grands. Si la reprise de ces actes par la société n'est pas effectuée dans les formes, l'associé qui a signé les actes engage sa responsabilité personnelle.

Pour être valables, ces actes doivent être **expressément** repris par la société.

Attention : ces actes et contrats doivent clairement mentionner que l'associé agit pour le compte de la société **en formation.**

Ainsi, dans les actes et contrats que vous signez au nom de la société en formation, vous avez intérêt à indiquer une formule de ce genre : « Patrick Minier *(vos nom et prénom)* agissant au nom de la S.A.R.L. Berlin, *(nom et forme juridique de la société)* en formation, située *(siège social de la société)* 2, avenue Léon-Blum, 06000 NICE. » Ensuite, vous devez établir un **état** (une liste) **des actes** accomplis pour le compte de la société en formation, avec pour chacun d'eux la nature de l'engagement de la société. Exemple : bail de quatre ans, loyer mensuel de 3 800 F, charges comprises.

Cet état des actes accomplis pendant la période de formation doit être annexé aux statuts.

La signature des statuts par les associés emporte automatiquement, et sans aucune autre formalité, reprise de ces engagements par la société dès qu'elle aura obtenu son immatriculation au Registre du commerce et des sociétés. Au plan juridique, tout se passe alors comme si ces actes avaient été directement faits par la société elle-même.

5. Formalités après la signature des statuts

Après la signature des statuts par tous les associés, vous devez effectuer les formalités que nous détaillons ci-dessous.

Si des actes ont été passés au nom de la société pendant la période située après la signature des statuts, mais avant l'immatriculation au RCS, il est également prudent de les faire reprendre par la société, comme cela a été précisé page 52.

• *Nomination du gérant*

Parallèlement à la signature des statuts, il faut rapidement désigner le gérant, qui pourra ainsi accomplir les formalités d'immatriculation au nom de la société.

Le gérant peut être nommé dans les statuts, mais cette solution est contraignante. En effet, en cas de révocation ou de décès, il faut modifier les statuts.

Il est donc préférable de nommer le gérant en dehors des statuts, par un acte séparé. Il doit être élu par l'assemblée générale extraordinaire des associés, représentant plus de la moitié du capital social.

Le gérant participe au vote pour sa propre élection.

Il peut être élu pour une durée limitée (deux ou trois ans) ou sans précision de durée (donc pour une durée illimitée), par l'assemblée des associés.

Un procès-verbal de nomination (voir modèle page 95) est ensuite rédigé.

• *Enregistrement des statuts*

Vous devez faire enregistrer les statuts. Pour cela, vous devez vous présenter au bureau de l'enregistrement de la Recette des impôts du lieu où se trouve le siège social de la société.

L'agent du bureau de l'enregistrement apposera sur la première page de chaque exemplaire de statuts un cachet indiquant « enregistré le... » suivi de la date d'enregistrement. Il conserve un exemplaire original et vous rend les autres.

Dans le passé, il fallait procéder à l'enregistrement avant l'immatriculation au RCS. Désormais, on peut immatriculer la société en donnant au CFE des statuts qui n'ont pas été enregistrés. En tout état de cause, cet enregistrement doit être fait dans le délai d'un mois à compter de la date où les statuts ont été établis.

Indépendamment du fait qu'il est obligatoire, l'enregistrement présente un avantage important : il donne date certaine aux actes, c'est-à-dire qu'il rend leur date incontestable.

Si les apports faits par les associés le sont uniquement en numéraire (argent), vous aurez à payer un droit au moment de l'enregistrement, appelé droit fixe, de 500 F, quel que soit le nombre d'exemplaires de statuts que vous soumettez à la formalité de l'enregistrement.

C'est le même tarif si vous apportez un fonds de commerce ou une entreprise individuelle à une SARL.

6. Publication d'une annonce légale

Un avis de constitution de la société doit être publié dans un journal d'annonces légales, situé dans le département où se trouve le siège social de la société. Vous pouvez également publier cette annonce dans des journaux non spécialisés habilités à publier ce type d'annonces (voir adresses page 417).

L'avis de constitution est signé par le gérant, s'il est déjà désigné, ou par l'associé-fondateur qui a reçu les fonds composant le capital social.

Attention, si le gérant n'est pas désigné, l'associé qui va signer cette annonce doit avoir reçu un pouvoir (mandat d'agir) des autres associés l'autorisant à effectuer cette formalité.

Il existe une multitude de journaux d'annonces légales. Si vous n'en connaissez pas dans votre département, demandez au CFE ou à la chambre de commerce de vous en indiquer un (voir aussi adresses page 417).

Cette annonce légale doit contenir des mentions précises : dénomination sociale (et sigle s'il existe), forme de la société, montant du capital social, adresse du siège social, l'objet social décrit sommairement, la durée pour laquelle la société est constituée, les nom, prénom et adresse du gérant.

Aucun délai n'est exigé pour publier cette annonce. Mais, en pratique, vous êtes obligé de la publier rapidement car, pour immatriculer la société, le CFE va vous demander un original du journal ayant publié l'annonce (la page où elle se trouve).

Pour une annonce légale, comptez environ une somme de 1 200 F, payable d'avance.

7. Dépôt du dossier d'immatriculation au CFE

Après avoir rempli toutes les formalités qui précèdent, vous pouvez demander l'immatriculation de la société au Registre du commerce et des sociétés.

Mais vous devez remettre votre dossier au Centre de formalités des entreprises et c'est lui qui transmet le dossier au greffe du tribunal de commerce.

Pour immatriculer une société, vous devez retirer auprès du CFE un dossier d'immatriculation qui comporte :

- un formulaire MO, liasse MC;
- une déclaration de non condamnation;
- un pouvoir (si une autre personne que le gérant effectue les formalités).

Ces documents doivent être remplis et signés par le gérant de la SARL qui doit y joindre un certain nombre de pièces dont la liste est précisée dans le tableau de la page 56.

L'immatriculation n'est pas gratuite, vous devez payer 1 305,25 F. En théorie, le prix est le même sur tout le territoire, mais certains CFE vous font payer 200 à 300 F de plus que ce montant.

PIÈCES A FOURNIR POUR IMMATRICULER UNE SOCIÉTÉ

- Les actes :
  - deux exemplaires originaux des statuts signés de tous les associés ;
  - deux exemplaires du procès-verbal de nomination du gérant (si cette nomination a été faite hors statut).
- Un exemplaire du journal d'annonces légales ayant publié l'avis de constitution.
- Un justificatif du local (copie du bail, attestation d'hébergement si le siège social est situé au domicile du dirigeant, ou contrat de domiciliation si le siège est fixé dans les locaux d'une entreprise de domiciliation.
- L'état civil :
  - une copie recto verso de la carte d'identité ou du passeport du gérant ;
  - une copie recto verso du titre de séjour si vous êtes de nationalité étrangère.

Résumé des étapes pour créer la société

- Dépôt dans une banque des fonds constituant le capital
- Rédaction et signature des statuts
- Publication d'une annonce légale de constitution de la société
- Enregistrement des statuts de la société
- Demande d'immatriculation de la société.

Une fois que la société est immatriculée, vous recevez un « extrait K Bis », document qui prouve son immatriculation et qui indique ce numéro.

En remettant ce K Bis à votre banque, vous obtiendrez le déblocage des fonds (constituant le capital).

Vous pouvez alors utiliser ce capital pour réaliser les dépenses que vous jugez utiles : achat de matériel, de fournitures, paiement des fournisseurs...

Une SARL particulière : l'entreprise unipersonnelle à responsabilité limitée

L'entreprise unipersonnelle à responsabilité limitée (EURL) n'a pas eu de succès, moins de 1 500 ont été créées à ce jour.

L'EURL est une forme de SARL comportant un seul associé. Le capital exigé est de 50 000 F et le fonctionnement est identique à celui de la SARL.

L'associé unique est le gérant de l'EURL. Il ne peut jamais avoir le statut de salarié. Il est donc immatriculé au régime de Sécurité sociale des travailleurs indépendants.

Puisqu'il est tout seul, il n'a évidemment pas d'assemblée à convoquer ou à réunir.

Il doit cependant établir un inventaire, les comptes annuels (bilan, compte de résultats et annexe) et un rapport de gestion, et les approuver.

Tout comme les associés d'une SARL, l'associé unique de l'EURL n'est responsable des dettes sociales qu'à hauteur du montant de son apport. Son patrimoine personnel n'est pas mis en cause en cas de liquidation judiciaire.

Cependant, il est, comme le gérant d'une SARL, responsable des fautes de gestion qu'il commet.

C. MODÈLES D'ACTES POUR CRÉER VOTRE SARL

Modèle 1

Lettre à l'INPI pour recherche d'antériorité d'une dénomination ou d'une marque

Les noms et les marques sont déposés dans des « classes », c'est-à-dire des spécialités (exemples : immobilier, formation). Il existe 42 classes. Par exemple, une école peut déposer sa marque uniquement dans la « classe formation », qui porte le numéro 41. Mais elle peut aussi la déposer dans toutes les classes, c'est-à-dire tous les secteurs. Le dépôt est payant. Depuis le 1er janvier 1996, on peut en outre faire un dépôt communautaire, valable pour tous les pays de l'Union européenne.

Quoi qu'il en soit, demandez si le nom envisagé n'est pas déjà déposé. Vous pouvez limiter la recherche uniquement à votre « classe » (secteur) ou à toutes les classes.

La recherche coûte entre 300 et 500 F par classe.

Il existe un seul INPI pour toute la France.

I.N.P.I.
Division des marques,
Bureau des recherches
d'antériorité
32, rue des Trois-Fontanot
92016 NANTERRE Cedex

Date

Madame, Monsieur,

Je vous prie de bien vouloir effectuer une recherche d'antériorité concernant le nom suivant ... *(dénomination choisie, par exemple : « Au cercle des poètes » pour un salon de thé).*

Cette recherche doit porter sur les classes numéros ... et ... *(par exemple : numéro 41 qui correspond à la classe formation; ou encore : sur l'ensemble des classes).*
Je joins à la présente demande un chèque de ... F en règlement des frais.

Veuillez agréer, Madame, Monsieur, l'expression de mes salutations distinguées.

Signature

(nom et prénom du gérant s'il est déjà désigné ou de l'un des associés dans le cas contraire)

Modèle 2

Lettre d'avertissement au conjoint d'un associé marié sous le régime de la communauté de biens

Elle est à envoyer sous la forme recommandée avec avis de réception. Elle peut être remplacée par l'intervention directe du conjoint au moment de la signature des statuts.

Nom et prénom de l'épouse
(ou de l'époux) du futur associé

Date

Recommandé avec avis de réception

Madame (ou Monsieur, si c'est Madame qui est l'associée),

J'ai l'honneur de vous informer, conformément aux dispositions de l'article 1832-2 du Code civil, que Monsieur ... *(nom et prénom de l'associé)*, votre conjoint, a l'intention d'apporter une somme de ... F pour la constitution d'une société à responsabilité limitée *(forme)*.

Cette société aura un capital de ... F et comprendra ... *(nombre)* associés. Elle aura pour objet social ... *(indiquez brièvement l'objet, par exemple : la récupération et la transformation des déchets ménagers)*.

La signature des statuts étant prévue pour le ... *(date)*, vous pouvez dans le délai de ... *(8 jours, 15 jours, un mois, la loi ne fixe pas de délai)* notifier au signataire de la présente *(ou encore notifier à la société X)*, par lettre recommandée avec avis de réception, votre intention de devenir associée de la société pour la moitié des parts sociales que votre conjoint envisage de souscrire.

Si vous ne souhaitez pas obtenir la qualité d'associée, je vous saurais gré de bien vouloir au moyen d'une lettre ou d'une attestation :
- donner votre consentement à l'apport envisagé par votre époux;
- indiquer clairement votre renonciation.

Veuillez agréer, Madame (ou Monsieur), l'expression de mes salutations distinguées.

Signature de l'associé
auteur du projet

Modèle 3

Attestation de renonciation du conjoint d'un associé

Ce modèle d'attestation à faire signer au conjoint de l'associé, qui doit indiquer qu'il a été effectivement avisé de la possibilité de devenir associé et qu'il y renonce clairement.

Demandez au conjoint de l'associé de vous envoyer sa réponse (sous forme d'attestation ou de lettre) en recommandé avec avis de réception.

Attestation de renonciation

Je soussigné(e) ... *(nom et prénom),* marié(e) à Monsieur (ou Madame) ... *(nom et prénom de l'associé)* sous le régime de la communauté légale.

Dûment averti(e) par lettre recommandée avec avis de réception en date du ... que :
– mon conjoint fait un apport en numéraire avec des deniers communs de ... F pour participer à la création de la société ... *(nom, forme et adresse de la société);*
– et que j'ai la faculté de demander la qualité d'associée pour la moitié des parts sociales souscrites.

Je déclare renoncer expressément à devenir personnellement associée de la société ... *(nom)* et donne mon consentement à l'apport susvisé.

Fait à ..., le ...
Signature

Modèle 4

Lettre au bailleur pour domiciliation provisoire de la société

Nonobstant toute clause contraire du bail, du règlement de copropriété ou d'un cahier des charges, le siège social peut être provisoirement fixé dans le local d'habitation du représentant légal (gérant pour une SARL) de la société.

Vous devez notifier votre intention au propriétaire de votre logement si vous êtes locataire ou au syndic de l'immeuble si vous êtes copropriétaire d'un logement situé dans un immeuble. Mais il ne s'agit nullement de demander au bailleur ou au syndic une autorisation, mais seulement de l'avertir, comme la loi le prévoit. Vous n'avez donc pas de réponse à attendre.

C'est un droit et le bailleur ni le syndic ne peuvent s'y opposer.

Le même modèle peut servir pour informer le bailleur et le syndic de l'immeuble.

La ou les lettres sont à envoyer en recommandé avec avis de réception.

La durée de cette domiciliation ne peut excéder deux ans à dater de l'immatriculation.

Marc JOLIET
21, avenue Henri-Barbusse
21000 DIJON

Monsieur ... *(prénom et nom du bailleur)*
Adresse

Date

Recommandé avec avis de réception

Monsieur (ou Madame),

Je vous prie de bien vouloir prendre acte de mon intention d'user de la faculté prévue à l'article 2 de la loi n° 84-1149 du 21 décembre 1984 et d'établir le siège social de la société ... *(nom),* S.A.R.L. au capital de ... F dont je suis le créateur *(ou le gérant, si vous êtes déjà désigné),* à mon domicile personnel pour lequel vous m'avez consenti un bail le ... *(date).*

Veuillez agréer, Monsieur (ou Madame), l'expression de ma considération distinguée.

Signature

Modèle 5

Lettre au syndic de copropriété, si vous êtes propriétaire, pour l'informer de la domiciliation du siège social

Marie LECHAT
12, rue du Renard
29600 MORLAIX

Nom du syndic
Adresse

Date

Recommandé avec avis de réception

Monsieur (ou Madame),

Copropriétaire d'un logement dans l'immeuble situé ... *(adresse)*, je vous prie de bien vouloir prendre acte de mon intention d'user de la faculté prévue à l'article 2 de la loi n° 84-1149 du 21 décembre 1984 et d'établir le siège social de la société ... *(nom)*, S.A.R.L. au capital de ... F dont je suis le créateur *(ou le gérant, si vous êtes déjà désigné)*, à mon domicile personnel.

Veuillez agréer, Monsieur (ou Madame), l'expression de ma considération distinguée.

Signature

Modèle 6

Lettre à l'assureur pour l'avertir que le domicile du gérant sert de siège social

Toute modification dans la situation matrimoniale (mariage, divorce...) ou dans l'utilisation des locaux doit être portée à la connaissance de l'assureur. Avertissez-le que vous avez domicilié la société chez vous, même si aucune activité n'y est exercée.

En cas de sinistre important, les assureurs cherchent souvent un moyen pour ne pas le prendre en charge. Inutile de leur fournir un prétexte qu'ils pourraient exploiter.

Maurice VERLAT
22, rue Gérard-de-Nerval
06100 Nice

Nom de la compagnie
Adresse

Date

Recommandé avec avis de réception
Police n° ...

Madame, Monsieur,

Je vous prie de bien vouloir prendre bonne note de la domiciliation de la société ... *(nom)* dont je suis le gérant, à mon domicile privé, ci-dessus indiqué.

Il s'agit uniquement d'une domiciliation administrative (téléphone, courrier et fax) et aucune activité n'est exercée dans ces locaux.

Veuillez agréer, Madame, Monsieur, l'expression de ma considération distinguée.

Signature

Modèle 7

STATUTS DE SARL

STATUTS

LES SOUSSIGNÉS :

Monsieur ... *(nom et prénom)*
demeurant à ... *(adresse)*
marié avec Madame ... *(état civil complet),* sous le régime ... *(indiquez ici le régime matrimonial, la date et le lieu du mariage; si un contrat de mariage a été établi, indiquez le nom du notaire rédacteur de l'acte et la date du contrat).*

Monsieur ... *(nom et prénom)*
demeurant à ... *(adresse)*
marié avec Madame ... *(état civil complet),* sous le régime ... *(indiquez ici le régime matrimonial, la date et le lieu du mariage; si un contrat de mariage a été établi, indiquez le nom du notaire rédacteur de l'acte et la date du contrat).*

ONT ÉTABLI, AINSI QU'IL SUIT, LES STATUTS D'UNE SOCIÉTÉ À RESPONSABILITÉ LIMITÉE, QU'ILS ONT DÉCIDÉ DE CONSTITUER ENTRE EUX.

Article 1 – FORME

Il est formé entre les propriétaires des parts composant le capital de la présente société, une SOCIÉTÉ À RESPONSABILITÉ LIMITÉE, régie par les lois en vigueur et par les présents statuts.

Article 2 – OBJET

La société a pour objet :
– ...
– le tout directement ou indirectement, pour son compte ou pour le compte de tiers, soit seule, soit avec des tiers, au moyen de création de sociétés ou groupements nouveaux, d'apports, de souscription, d'achat de titres ou droits sociaux, de fusion, d'alliance, de société en participation ou de prise en location ou en gérance de tous biens ou droits, ou autrement;
– et généralement, toutes opérations financières, commerciales, industrielles, civiles, immobilières ou mobilières pouvant se rattacher, directement ou indirectement, à l'un des objets spécifiés ci-dessus ou à tout objet similaire ou connexe de nature à favoriser le développement du patrimoine social.

Article 3 – DÉNOMINATION

La dénomination de la société est ... *(nom).*

(Dans tous les actes et documents émanant de la société, la dénomination sociale doit toujours être précédée ou suivie des mots « société à responsabilité limitée » ou des initiales « SARL » et de l'énonciation du montant du capital social.)

Article 4 – SIÈGE SOCIAL

Le siège social est fixé à ... *(adresse).*

Il peut être transféré en tout autre endroit du même département ou d'un département limitrophe par une simple décision de la gérance, sous réserve de ratification de cette décision par la prochaine assemblée générale ordinaire et, partout ailleurs en France, en vertu d'une délibération de l'assemblée générale extraordinaire des associés.

Article 5 – DURÉE

La durée de la société est de ... ans à compter de la date de son immatriculation au Registre du commerce et des sociétés, sauf les cas de dissolution anticipée ou de prorogation décidée par l'assemblée générale extraordinaire des associés.

Article 6 – APPORTS

Les associés apportent à la société, savoir :
– Monsieur ...
la somme de ... francs, ci : francs

– Monsieur ...
la somme de ... francs, ci : francs

soit, ensemble, la somme de : francs

Soit au total la somme de ... francs, laquelle somme a été déposée conformément à la loi par les associés au crédit d'un compte ouvert au nom de la société en formation à ... *(nom et adresse de la banque).*

Ainsi qu'il résulte d'un certificat délivré par ladite banque le ...

Cette somme sera retirée par le gérant de la société sur présentation de l'extrait K Bis délivré par le greffe du tribunal de commerce du lieu du siège social, attestant l'immatriculation de celle-ci au Registre du commerce et des sociétés.

Article 7 – CAPITAL SOCIAL

Le capital social est fixé à la somme de ... francs:

Il est divisé en ... parts de ... francs chacune, entièrement souscrites et libérées, réparties entre les associés en proportion de leurs apports, c'est-à-dire :

– Monsieur ...,
à concurrence de ... parts, ci : parts
numérotées de 1 à ...

– Monsieur ...,
à concurrence de ... parts, ci : parts
numérotées de ... à ...

soit le nombre de parts composant le capital social : ... parts.

Conformément à la loi, les soussignés déclarent expressément que les parts sociales présentement créées sont souscrites en totalité par les associés et intégralement libérées, qu'elles représentent des apports en espèces et qu'elles sont réparties entre les associés dans les proportions indiquées ci-dessus.

Article 8 – MODIFICATION DU CAPITAL

Le capital social peut être augmenté de toutes les manières autorisées par la loi, en vertu d'une décision collective extraordinaire des associés. En cas d'augmentation de capital réalisée par voie d'élévation du montant des parts existantes, à libérer en numéraire, la décision doit être prise à l'unanimité des associés.

Toute personne entrant dans la société à l'occasion d'une augmentation du capital et qui serait soumise à agrément comme cessionnaire de parts sociales, en vertu de l'article 10 des statuts, doit être agréée dans les conditions fixées audit article.

Si l'augmentation de capital est réalisée, soit en totalité, soit en partie, par des apports en nature, la décision des associés constatant la réalisation de l'augmentation de capital et la modification corrélative des statuts doit contenir l'évaluation de chaque apport en nature, au vu d'un rapport annexé à ladite décision et établi sous sa responsabilité par un commissaire aux apports désigné en justice sur requête de la gérance.

Le capital peut également être réduit en vertu d'une décision de l'assemblée des associés statuant dans les conditions exigées pour la modification des statuts, pour quelque cause et de quelque manière que ce soit, mais en aucun cas cette réduction ne peut porter atteinte à l'égalité des associés.

La réduction du capital social à un montant inférieur au minimum prévu par la loi doit être suivie dans un délai d'un an d'une augmentation de capital ayant pour effet de le porter à ce minimum, à moins que, dans le même délai, la société n'ait été transformée en société d'une autre forme.

A défaut, tout intéressé peut demander en justice la dissolution de la société après avoir mis la gérance en demeure de régulariser la situation par acte extrajudiciaire.

La dissolution ne peut être prononcée si, au jour où le tribunal statue sur le fond, la régularisation a eu lieu.

Article 9 – PARTS SOCIALES

I – Représentation des parts sociales

Les parts sociales ne peuvent jamais être représentées par des titres négociables, nominatifs ou au porteur.

Le titre de chaque associé résulte seulement des présents statuts, des actes ultérieurs qui pourraient modifier le capital social et des cessions qui seraient régulièrement consenties.

II – Droits et obligations attachés aux parts sociales

Chaque part sociale confère à son propriétaire un droit égal dans les bénéfices de la société et dans tout l'actif social.

Les apports en industrie donnent lieu à attribution de parts ouvrant droit au partage des bénéfices et de l'actif net, à charge de contribuer aux pertes.

Toute part sociale donne droit à une voix dans tous les votes et délibérations.

Sous réserve de leur responsabilité solidaire vis-à-vis des tiers, pendant cinq ans, en ce qui concerne la valeur attribuée aux apports en nature, les associés ne supportent les pertes que jusqu'à concurrence de leurs apports; au-delà, tout appel de fonds est interdit.

La propriété d'une part emporte de plein droit adhésion aux statuts de la société et aux décisions collectives des associés.

Les héritiers et créanciers d'un associé ne peuvent, sous quelque prétexte que ce soit, requérir l'apposition des scellés sur les biens et documents de la société, ni s'immiscer en aucune manière dans les actes de son administration. Ils doivent, pour l'exercice de leurs droits, s'en rapporter aux inventaires sociaux et aux décisions collectives des associés.

Toute augmentation de capital par attribution de parts gratuites peut toujours être réalisée nonobstant l'existence de rompus, les associés disposant d'un nombre insuffisant de droits d'attribution pour obtenir la délivrance d'une part nouvelle, devant faire leur affaire personnelle de toute acquisition ou cession de droits nécessaires. Il en sera de même en cas de réduction de capital par réduction du nombre de parts.

Une décision collective extraordinaire peut encore imposer le regroupement des parts sociales en parts d'un nominal plus élevé ou leur division en parts d'un nominal plus faible, sous réserve du respect de la valeur nominale minimale fixée par la loi. Les associés sont tenus, dans ce cas, de céder ou d'acheter les parts nécessaires à l'attribution d'un nombre entier de parts au nouveau nominal.

III – Indivisibilité des parts sociales – Exercice des droits attachés aux parts

Chaque part est indivisible à l'égard de la société.

Les propriétaires indivis sont tenus de se faire représenter auprès de la société par un mandataire commun pris entre eux ou en dehors d'eux; à défaut d'entente, il sera pourvu, par ordonnance du président du tribunal de commerce statuant en référé, à la désignation de ce mandataire, à la demande de l'indivisaire le plus diligent.

En cas de démembrement de la propriété, le droit de vote appartient au nu-propriétaire, sauf pour les décisions concernant l'affectation des bénéfices où il est réservé à l'usufruitier.

IV – Associé unique

La réunion de toutes les parts sociales en une seule main n'entraîne pas de plein droit la dissolution de la société, tout intéressé pouvant seulement demander cette dissolution si la situation n'a pas été régularisée dans le délai d'un an, le tribunal pouvant accorder à la société un délai maximal de six mois pour régularisation. Il ne peut prononcer la dissolution si, au jour où il statue sur le fond, cette régularisation a eu lieu.

L'associé, entre les mains duquel sont réunies toutes les parts sociales, peut dissoudre la société à tout moment par déclaration au greffe du tribunal de commerce du siège social.

Article 10 – CESSION ET TRANSMISSION DE PARTS

I – Les cessions de parts se font par acte notarié ou sous seings privés. Pour être opposables à la société, elles doivent lui être signifiées par exploit d'huissier, ou par dépôt d'un original de l'acte au siège social de la société contre remise, par le gérant, d'une attestation de ce dépôt. Pour être opposables aux tiers, elles doivent, en outre, avoir été déposées au greffe, en annexe au Registre du commerce et des sociétés.

II – Les parts sociales sont librement cessibles entre associés et entre conjoints, ascendants ou descendants, même si le conjoint, ascendant ou descendant cessionnaire, n'est pas associé.

Elles ne peuvent être cédées, à titre onéreux ou gratuit, à des tiers non associés, autres que le conjoint, les ascendants ou descendants du cédant qu'avec le consentement de la majorité des associés représentant au moins les trois quarts du capital, cette majorité étant déterminée compte tenu de la personne et des parts de l'associé cédant.

Le projet de cession doit être notifié à la société et à chacun des associés par lettre recommandée avec avis de réception ou par acte extrajudiciaire.

Si la société n'a pas fait connaître sa décision dans le délai de trois mois à compter de la dernière des notifications, le consentement est réputé acquis.

Si la société refuse de consentir à la cession, les associés sont tenus, dans les trois mois de la notification du refus, faite par lettre recommandée avec avis de réception, d'acquérir ou de faire acquérir les parts, moyennant un prix fixé d'accord entre les parties ou, à défaut d'accord, dans les conditions prévues à l'article 1843-4 du Code civil.

La société peut également, avec le consentement de l'associé cédant, décider, dans le même délai, de réduire son capital du montant de la valeur nominale desdites parts et de racheter ces parts au prix déterminé dans les conditions prévues ci-dessus.

Si, à l'expiration du délai imparti, la société n'a pas racheté ou fait racheter les parts, l'associé peut réaliser la cession initialement prévue.

Toutefois, l'associé cédant qui détient ses parts depuis moins de deux ans ne peut se prévaloir de l'alinéa précédent, sauf dans les cas prévus par la loi.

Les dispositions qui précèdent sont applicables à tous les cas de cessions, alors même qu'elles auraient lieu par adjudication publique, en vertu d'une décision de justice ou autrement, ou par voie de fusion ou d'apport, ou encore à titre d'attribution en nature à la liquidation d'une société.

III – Si la société a donné son consentement à un projet de nantissement de parts sociales, soit par notification de sa décision à l'intéressé, soit par défaut de réponse dans un délai de trois mois à compter de la demande, ce consentement emportera agrément du cessionnaire en cas de réalisation forcée des parts sociales selon les dispositions de l'article 2078, premier alinéa, du Code civil, à moins que la société ne préfère, après la cession, racheter sans délai les parts en vue de réduire le capital.

IV – En cas de décès d'un associé ou de dissolution de communauté entre époux, la société continue entre les associés survivants et les ayants droit ou héritiers de l'associé décédé et, éventuellement, son conjoint survivant, ou avec l'époux attributaire de parts communes qui ne possédait pas la qualité d'associé, sous réserve de l'agrément des intéressés par la majorité des associés représentant les trois quarts du capital social.

Pour permettre la consultation des associés sur cet agrément, les héritiers, ayants droit et conjoints doivent justifier de leur qualité dans les trois mois du décès par la production de l'expédition d'un acte de notoriété ou de l'extrait d'un intitulé d'inventaire. Dans les huit jours de la réception de ces documents, la gérance adresse à chacun des associés survivants une lettre recommandée avec avis de réception faisant part du décès, mentionnant la qualité des héritiers, ayants droit ou conjoint de l'associé décédé et du nombre de ses parts, afin que les associés se prononcent sur leur agrément.

En cas de dissolution de communauté, le partage est notifié par l'époux le plus diligent par acte extrajudiciaire ou par lettre recommandée avec avis de réception à la société et à chacun des associés.

A compter de l'envoi de la lettre recommandée par la société au cas de décès, ou de la réception par celle-ci de la notification au cas de dissolution de communauté, l'agrément est donné ou refusé dans les conditions prévues ci-dessus pour les cessions entre vifs.

V – La gérance est habilitée à mettre à jour l'article des statuts relatif au capital social à l'issue de toute cession de parts n'impliquant pas le concours de la collectivité des associés.

Article 11 – DÉCÈS, INTERDICTION, FAILLITE D'UN ASSOCIÉ

Le décès, l'incapacité, l'interdiction, la faillite ou la déconfiture de l'un quelconque des associés personnes physiques, ainsi que l'ouverture d'une procédure de redressement judiciaire à l'encontre d'un associé personne morale n'entraînent pas la dissolution de la société, mais si l'un de ces événements se produit en la personne d'un gérant, il entraîne cessation de ses fonctions de gérant.

Article 12 – GÉRANCE

La société est gérée et administrée par un ou plusieurs gérants, personnes physiques, associés ou non, avec ou sans limitation de la durée de leur mandat, choisis par les associés.

Le ou les gérants sont toujours rééligibles.

Les gérants subséquents sont nommés par décision des associés représentant plus de la moitié des parts sociales.

Chacun d'eux a la signature sociale dont il ne peut faire usage que pour les affaires de la société.

Dans les rapports avec les tiers, les gérants sont investis des pouvoirs les plus étendus pour agir en toute circonstance au nom de la société, sous réserve des pouvoirs que la loi attribue expressément aux associés.

La société est engagée même par les actes des gérants qui ne relèvent pas de l'objet social, à moins qu'elle ne prouve que le tiers savait que l'acte dépassait cet objet ou qu'il ne pouvait l'ignorer compte tenu des circonstances, la seule publication des statuts ne suffisant pas à constituer cette preuve.

L'opposition formée par un gérant aux actes d'un autre gérant est sans effet à l'égard des tiers, à moins qu'il ne soit établi qu'ils en ont eu connaissance.

Les gérants peuvent, sous leur responsabilité, constituer des mandataires, associés ou non, pour un ou plusieurs objets déterminés.

Ils peuvent déléguer les pouvoirs qu'ils jugent convenables à un ou plusieurs directeurs, associés ou non, pour assurer la direction technique et commerciale des affaires de la société et passer avec ce ou ces directeurs des traités déterminant l'étendue de leurs attributions et pouvoirs, la durée de leurs fonctions et l'importance de leurs avantages fixes ou proportionnels.

Les gérants doivent consacrer leur temps et les soins nécessaires à la marche des affaires sociales sans être astreints à y consacrer tout leur temps.

Ils peuvent conserver ou prendre des intérêts personnels dans toutes entreprises, sauf d'objet similaire, et y occuper toutes fonctions.

Tout gérant, associé ou non, nommé dans les statuts ou par un acte postérieur, est révocable par décision ordinaire de la collectivité des associés prise à la majorité ordinaire des parts sociales.

Tout gérant peut résilier ses fonctions, mais seulement à la clôture d'un exercice, en prévenant les associés six mois au moins à l'avance, par lettre recommandée, ceci sauf accord contraire de la collectivité des associés pris à la majorité ordinaire des parts sociales.

En cas de cessation de fonctions par l'un des gérants pour un motif quelconque, la gérance reste assurée par le ou les autres gérants. Si le gérant qui cesse ses fonctions était seul, la collectivité des associés aurait à nommer un ou plusieurs gérants à la diligence de l'un des associés et aux conditions de majorité prévues à l'article 14 ci-après.

En rémunération de ses fonctions et en compensation de la responsabilité attachée à la gestion, chaque gérant a droit à un traitement fixe, proportionnel ou mixte dont le montant et les modalités de paiement sont déterminés par décision collective ordinaire des associés.

Article 13 – COMMISSAIRE AUX COMPTES

Les associés peuvent nommer un ou plusieurs commissaires aux comptes par décision collective ordinaire.

Cette nomination est rendue obligatoire dans les conditions déterminées par la loi.

La durée du mandat des commissaires aux comptes est de six exercices.

Ils exercent leur mandat et sont rémunérés conformément à la loi.

Article 14 – DÉCISIONS COLLECTIVES

La volonté des associés s'exprime par des décisions collectives qui obligent les associés même absents, dissidents ou incapables. Ces décisions résultent, au choix de la gérance, soit d'une assemblée générale, soit d'une consultation par correspondance; toutefois, la réunion d'une assemblée est obligatoire pour statuer sur l'approbation des comptes de chaque exercice, ou sur demande d'un ou plusieurs associés détenant la moitié des parts sociales ou, s'ils représentent au moins le quart des associés, détenant le quart des parts sociales.

Tout associé a droit de participer aux décisions quelle que soit leur nature et quel que soit le nombre de ses parts, avec un nombre de voix égal au nombre de parts sociales qu'il possède, sans limitation.

Un associé peut se faire représenter par son conjoint, à moins que la société ne comprenne que les deux époux. Sauf si les associés sont au nombre de deux, un associé peut se faire représenter par un autre associé. Dans tous les cas, un associé peut se faire représenter par un tiers muni d'un pouvoir.

Les procès-verbaux sont établis sur un registre coté et paraphé ou sur des feuilles mobiles également cotées et paraphées, conformément à la loi. Les copies ou extraits de ces procès-verbaux sont valablement certifiés conformes par un gérant.

Assemblée générale

Toute assemblée générale est convoquée par la gérance ou, à défaut, par le commissaire aux comptes s'il en existe un ou, encore à défaut, par un mandataire désigné en justice à la demande de tout associé.

Pendant la période de liquidation, les assemblées sont convoquées par le ou les liquidateurs.

Les assemblées générales sont réunies au siège social ou en tout autre lieu indiqué dans la convocation. La convocation est faite par lettre recommandée adressée à chacun des associés à son dernier domicile connu, quinze jours francs au moins avant la réunion.

Cette lettre contient l'ordre du jour de l'assemblée, arrêté par l'auteur de la convocation.

L'assemblée est présidée par l'un des gérants ou, si aucun d'eux n'est associé, par l'associé présent et acceptant qui possède ou représente le plus grand nombre de parts.

La délibération est constatée par un procès-verbal contenant les mentions exigées par la loi, établi et signé par le ou les gérants et, le cas échéant, par le président de séance.

A défaut de feuille de présence, la signature de tous les associés présents figure sur le procès-verbal.

Seules sont admises en délibération les questions figurant à l'ordre du jour.

Consultation écrite

En cas de consultation écrite, la gérance adresse à chaque associé à son dernier domicile connu, par lettre recommandée, le texte des résolutions proposées ainsi que les documents nécessaires à l'information des associés.

Les associés disposent d'un délai de quinze jours, à compter de la date de réception du projet de résolutions, pour émettre leur vote par écrit, le vote étant pour chaque résolution formulé par les mots « oui » ou « non ».

La réponse est adressée par lettre recommandée. Tout associé n'ayant pas répondu dans le délai ci-dessus est considéré comme s'étant abstenu.

Article 15 – DÉCISIONS COLLECTIVES ORDINAIRES

Sont qualifiées d'ordinaires les décisions des associés ne concernant ni l'agrément de nouveaux associés ni les modifications statutaires, sous réserve des exceptions prévues par la loi : révocation du gérant statutaire et transformation en société anonyme lorsque les capitaux propres excèdent cinq millions de francs.

Chaque année, dans les six mois de la clôture de l'exercice, les associés sont réunis par la gérance pour statuer sur les comptes dudit exercice et l'affectation des résultats.

Les décisions collectives ordinaires doivent, pour être valables, être acceptées par un ou plusieurs associés représentant plus de la moitié des parts sociales. Si cette majorité n'est pas obtenue, les décisions sont, sur deuxième consultation, prises à la majorité des votes émis, quel que soit le nombre des votants.

Toutefois, la majorité est irréductible s'il s'agit de voter sur la nomination ou la révocation d'un gérant.

Article 16 – DÉCISIONS COLLECTIVES EXTRAORDINAIRES

Sont qualifiées d'extraordinaires les décisions des associés portant agrément de nouveaux associés ou modification des statuts sous réserve des exceptions prévues par la loi.

Les associés peuvent, par décisions collectives extraordinaires, apporter toutes modifications permises par la loi aux statuts.

Les décisions extraordinaires ne peuvent être valablement prises que si elles sont adoptées :
– à l'unanimité, s'il s'agit de changer la nationalité de la société, d'augmenter les engagements d'un associé ou de transformer la société en société en nom collectif, en commandite simple, en commandite par actions ou en société civile;
– à la majorité en nombre des associés représentant au moins les trois quarts du capital social, s'il s'agit d'admettre de nouveaux associés;
– par des associés représentant au moins les trois quarts du capital social, pour toutes les autres décisions extraordinaires.

Article 17 – DROIT DE COMMUNICATION DES ASSOCIÉS

Lors de toute consultation des associés, soit par écrit, soit en assemblée générale, chacun d'eux a le droit d'obtenir communication des documents et informations nécessaires pour lui permettre de se prononcer en connaissance de cause et de porter un jugement sur la gestion de la société.

La nature de ces documents et les conditions de leur envoi ou mise à disposition sont déterminées par la loi.

En outre, à toute époque, tout associé a le droit d'obtenir au siège social la délivrance d'une copie certifiée conforme des statuts en vigueur au jour de la demande, dans les conditions prévues par la loi.

Article 18 – CONVENTIONS ENTRE LA SOCIÉTÉ ET SES ASSOCIÉS OU GÉRANTS

Sous réserve des interdictions légales, les conventions entre la société et l'un de ses associés ou gérants sont soumises aux formalités de contrôle et de présentation à l'assemblée des associés, conformément à la loi.

Ces formalités s'étendent aux conventions passées avec une société dont un associé est indéfiniment responsable, gérant, administrateur, directeur général, membre du directoire ou du conseil de surveillance et, simultanément, gérant ou associé de la société à responsabilité limitée.

Article 19 – COMPTES COURANTS

Avec le consentement de la gérance, chaque associé peut verser ou laisser en compte courant dans la caisse de la société des sommes nécessaires à celle-ci.

Ces sommes produisent ou non intérêt et peuvent être utilisées dans les conditions que détermine la gérance.

Les intérêts sont portés aux frais généraux et peuvent être révisés chaque année.

Les comptes courants ne doivent jamais être débiteurs et la société a la faculté d'en rembourser tout ou partie, après avis donné par écrit un mois à l'avance, à condition que les remboursements se fassent d'abord sur le compte courant le plus élevé, ou, en cas d'égalité, s'opèrent dans les mêmes proportions sur chaque compte. L'ouverture d'un compte courant constitue une convention soumise aux dispositions de l'article 18 des présents statuts.

Aucun associé ne peut effectuer des retraits sur les sommes ainsi déposées sans en avoir averti la gérance au moins un mois à l'avance.

Article 20 – ANNÉE SOCIALE – INVENTAIRE

L'exercice social commence le premier ... et finit le ...

Par exception, le premier exercice sera clos le ...

Il est dressé à la clôture de chaque exercice, par les soins de la gérance, un inventaire de l'actif et du passif de la société, un bilan décrivant les éléments actifs et passifs, le compte de résultats récapitulant les produits et charges et l'annexe complétant et commentant l'information donnée dans les bilan et compte de résultats.

La gérance procède, même en cas d'absence ou d'insuffisance de bénéfices, aux amortissements et provisions nécessaires.

Le montant des engagements cautionnés, avalisés ou garantis par la société est mentionné à la suite du bilan.

La gérance établit un rapport de gestion relatif à l'exercice écoulé.

Le rapport de la gérance, le bilan, le compte de résultatss, l'annexe, le texte des résolutions proposées et, éventuellement, le rapport du commissaire aux comptes doivent être adressés aux associés quinze jours francs au moins avant la date de l'assemblée appelée à statuer sur ces comptes.

A compter de cette communication, tout intéressé a la faculté de poser par écrit des questions auxquelles le gérant sera tenu de répondre au cours de l'assemblée.

Pendant le délai de quinze jours francs qui précède l'assemblée, l'inventaire est tenu, au siège social, à la disposition des associés qui ne peuvent en prendre copie.

Enfin, tout associé a droit, à toute époque, de prendre connaissance, par lui-même et au siège social, des comptes annuels, des inventaires, des rapports soumis aux assemblées et des procès-verbaux des assemblées concernant les trois derniers exercices.

Article 21 – AFFECTATION ET RÉPARTITION DES BÉNÉFICES

Le compte de résultats qui récapitule les produits et charges de l'exercice fait apparaître par différence, après déduction des amortissements et des provisions, le bénéfice de l'exercice.

Sur le bénéfice de l'exercice diminué, le cas échéant, des pertes antérieures, il est prélevé 5 % au moins pour constituer le fonds de réserve légale. Ce prélèvement cesse d'être obligatoire lorsque le fonds de réserve atteint le dixième du capital social ; il reprend son cours lorsque, pour une raison quelconque, la réserve légale est descendue au-dessous de ce dixième.

Le bénéfice distribuable est constitué par le bénéfice de l'exercice diminué des pertes antérieures et des sommes portées en réserve en application de la loi et des statuts et augmenté du report bénéficiaire.

Ce bénéfice est réparti entre tous les associés, proportionnellement au nombre de parts appartenant à chacun d'eux.

L'assemblée générale peut décider la mise en distribution de sommes prélevées sur les réserves dont elle a la disposition, en indiquant expressément les postes de réserves sur lesquels les prélèvements sont effectués.

Toutefois, les dividendes sont prélevés par priorité sur les bénéfices de l'exercice.

Hors le cas de réduction de capital, aucune distribution ne peut être faite aux associés lorsque les capitaux propres sont ou deviendraient, à la suite de celle-ci, inférieurs au montant du capital augmenté des réserves que la loi ou les statuts ne permettent pas de distribuer.

L'écart de réévaluation n'est pas distribuable. Il peut être incorporé en tout ou en partie au capital.

Toutefois, après prélèvement des sommes portées en réserve, en application de la loi, les associés peuvent, sur proposition de la gérance, reporter à nouveau tout ou partie de la part leur revenant dans les bénéfices, ou affecter tout ou partie de cette part à toutes réserves générales ou spéciales dont ils décident la création et déterminent l'emploi s'il y a lieu.

Les pertes, s'il en existe, sont imputées sur les bénéfices reportés des exercices antérieurs ou reportées à nouveau.

Article 22 – PAIEMENT DES DIVIDENDES

Le paiement des dividendes doit avoir lieu dans le délai maximal de neuf mois après la clôture de l'exercice, sauf prolongation par décision de justice.

Article 23 – CAPITAUX PROPRES INFÉRIEURS À LA MOITIÉ DU CAPITAL SOCIAL

Si, du fait de pertes constatées dans les documents comptables, les capitaux propres de la société deviennent inférieurs à la moitié du capital social, la gérance doit, dans les quatre mois qui suivent l'approbation des comptes ayant fait apparaître ces pertes, consulter les associés afin de décider s'il y a lieu à dissolution anticipée de la société.

Si la dissolution n'est pas prononcée, le capital doit être, dans le délai fixé par la loi, réduit, sous réserve des dispositions de l'article 8 ci-dessus, d'un montant égal au montant des pertes qui n'ont pu être imputées sur les réserves si, dans ce délai, les capitaux propres n'ont pas été reconstitués à concurrence d'une valeur au moins égale à la moitié du capital social.

Dans les deux cas, la décision de l'assemblée générale est publiée dans les conditions réglementaires.

En cas d'inobservation des prescriptions du premier ou du second alinéa qui précèdent, tout intéressé peut demander en justice la dissolution de la société. Il en est de même si les associés n'ont pu délibérer valablement.

Toutefois, le tribunal ne peut prononcer la dissolution si, au jour où il statue sur le fond, la régularisation a eu lieu.

Article 24 – DISSOLUTION – LIQUIDATION

A l'expiration de la société ou en cas de dissolution, pour quelque cause que ce soit, la société entre en liquidation.

Toutefois, cette dissolution ne produit ses effets à l'égard des tiers qu'à compter du jour où elle a été publiée au Registre du commerce et des sociétés. La personnalité morale de la société subsiste pour les besoins de la liquidation et jusqu'à la clôture de celle-ci. La mention « société en liquidation » ainsi que le nom du ou des liquidateurs doivent figurer sur tous les actes et documents émanant de la société.

La liquidation est faite par un ou plusieurs liquidateurs nommés à la majorité en capital des associés, pris parmi les associés ou en dehors d'eux.

La liquidation est effectuée conformément à la loi.

Le produit net de la liquidation est employé d'abord à rembourser le montant des parts sociales qui n'aurait pas encore été remboursé. Le surplus est réparti entre les associés, au prorata du nombre de parts appartenant à chacun d'eux.

Article 25 – TRANSFORMATION DE LA SOCIÉTÉ

La transformation de la présente société en société civile, en société en nom collectif, en commandite simple ou en commandite par actions exige l'accord unanime des associés.

La transformation en société anonyme ne peut être décidée, à la majorité requise pour la modification des statuts, que si la société a établi et fait approuver par les associés le bilan de ses deux premiers exercices.

Toutefois, et sous ces mêmes réserves, la transformation en société anonyme peut être décidée par des associés représentant la majorité des parts sociales, si les capitaux propres figurant au dernier bilan excèdent cinq millions de francs.

Toute décision de transformation doit être précédée du rapport d'un commissaire aux comptes inscrit sur la situation de la société, même si la société n'a pas habituellement de commissaire aux comptes.

En cas de transformation de la société en société anonyme, un ou plusieurs commissaires, chargés d'apprécier sous leur responsabilité la valeur des biens composant l'actif social et les avantages particuliers, sont désignés par le président du tribunal de commerce statuant sur requête. Ils peuvent être chargés de l'établissement du rapport sur la situation de la société mentionnée au paragraphe précédent. Dans ce cas, il n'est rédigé qu'un seul rapport. Ces commissaires sont soumis aux incompatibilités prévues à l'article 220 de la loi du 24 juillet 1966.

Le commissaire aux comptes de la société peut être nommé commissaire à la transformation, par décision unanime des associés.

Leur rapport, attestant que le montant des capitaux propres est au moins égal au capital social, est tenu au siège social à la disposition des associés huit jours au moins avant la date de l'assemblée. En cas de consultation écrite, le texte du rapport doit être adressé à chacun des associés et joint au texte des résolutions proposées.

Les associés statuent sur l'évaluation des biens et l'octroi des avantages particuliers; ils ne peuvent les réduire qu'à l'unanimité. A peine de nullité de la transformation, l'approbation expresse des associés doit être mentionnée au procès-verbal.

La société doit se transformer en société d'une autre forme dans le délai de deux ans, si elle vient à comprendre plus de cinquante associés. A défaut, elle est dissoute, à moins que, pendant ledit délai, le nombre des associés ne soit devenu égal ou inférieur à cinquante.

Article 26 – CONTESTATIONS

Toutes contestations qui pourraient surgir, concernant l'interprétation ou l'exécution des statuts ou relativement aux affaires sociales, entre les associés ou entre les associés et la société, pendant la durée de la société ou de sa liquidation, sont soumises aux tribunaux compétents.

Article 27 – NOMINATION DU PREMIER GÉRANT

Le premier gérant sera nommé à l'issue de la signature des présents statuts.

Article 28 – AUTORISATION D'ENGAGEMENTS ANTÉRIEURS ET POSTÉRIEURS À LA SIGNATURE DES STATUTS

Il a été accompli, dès avant ce jour, par M. ... les actes ci-après :
– ...

Les soussignés déclarent approuver ces actes et ces engagements; la signature des présentes emportera, par la société, reprise de ces engagements qui seront réputés avoir été souscrits dès l'origine, lorsque l'immatriculation au Registre du commerce et des sociétés aura été effectuée.

En outre, les associés donnent tout pouvoir à M. ... pour :
– ... *(par exemple : signer un bail portant sur des locaux d'activité)*;
– accomplir les démarches administratives et la prospection nécessaires à la constitution et à la mise en route de l'activité sociale;
– passer et souscrire, pour le compte de la société en formation, les actes et engagements entrant dans l'objet statutaire et conformes à l'intérêt social, à l'exclusion de ceux pour lesquels il est requis une autorisation préalable des associés.

Ces actes et engagements seront réputés avoir été faits et souscrits dès l'origine par la société, après vérification par l'ensemble des associés, postérieurement à l'immatriculation de la société au Registre du commerce et des sociétés, de leur conformité avec le mandat ci-dessus défini et, au plus tard, par l'approbation des comptes du premier exercice social.

Article 29 – JOUISSANCE DE LA PERSONNALITÉ MORALE – IMMATRICULATION AU REGISTRE DU COMMERCE ET DES SOCIÉTÉS – PUBLICITÉ – POUVOIRS – FRAIS

La société ne jouira de la personnalité morale qu'à dater de son immatriculation au Registre du commerce et des sociétés.

Tous pouvoirs sont donnés à la gérance pour remplir les formalités de publicité prescrites par la loi et, spécialement, pour signer l'avis à insérer dans un journal d'annonces légales du département du siège social. Toutes les fois que cela sera compatible avec les prescriptions de la loi, les mêmes pouvoirs seront donnés au porteur d'un original, d'une copie ou d'un extrait des présentes.

Article 30 – INTERVENTION

Aux présentes est à l'instant intervenue Mme ..., épouse commune en biens de M. ..., laquelle a déclaré avoir été informée de la souscription de ... parts sociales, effectuée par son conjoint avec des deniers dépendant de la communauté; consentir expressément à ladite souscription et ne pas vouloir devenir personnellement associée de la société.

Fait à ...
En ... exemplaires
L'an mil neuf cent quatre-vingt...
Et le ...
(Modèle de statuts aimablement communiqué par Maître Bernard Monnassier, notaire à Paris.)

Modèle 8

Procès-verbal de nomination du premier gérant hors statuts

Il est judicieux de ne pas désigner le gérant dans les statuts, mais de faire une nomination hors statuts. Si le gérant est statutaire (nommé dans les statuts), sa révocation, son décès ou sa démission entraîne une modification des statuts.

S'il n'est pas statutaire, sa cessation de fonction n'entraîne pas de modification des statuts.

ASSEMBLÉE GÉNÉRALE ORDINAIRE DES ASSOCIÉS DU ...

Procès-verbal

Les associés de la société à responsabilité limitée ... *(nom de la société)* au capital de 50 000 F, se sont réunis au siège social : 5, allée du Bois-Fleuri 60950 ERMENONVILLE *(adresse)*, pour la signature des statuts de la société et la désignation du gérant.

Étaient présents :

– Monsieur Michel BORLA
propriétaire 260 parts

– Madame Catherine BOULOGNE
propriétaire 240 parts

Total des parts représentées 500 parts

Les associés ont pris, à l'unanimité, les résolutions suivantes :

Première résolution
L'assemblée générale ordinaire des associés décide de nommer Madame Catherine BOULOGNE en qualité de gérante de la société, pour une durée illimitée.
Madame Catherine BOULOGNE déclare accepter lesdites fonctions et précise, en outre, qu'elle n'exerce aucune fonction et n'est frappée d'aucune incompatibilité susceptible de lui interdire d'exercer son mandat.

Deuxième résolution
La collectivité des associés confère tous pouvoirs au porteur de copie du présent procès-verbal, à l'effet de procéder aux formalités de dépôt au greffe du tribunal de commerce de ... *(ville)*.

De tout ce que dessus, il a été dressé le présent procès-verbal, qui lecture faite, a été signé par tous les associés.

Michel BORLA Catherine BOULOGNE

Modèle 8 bis

Procès-verbal de fixation de la rémunération du gérant

Le procès-verbal de désignation du gérant est déposé au greffe et peut donc être consulté librement. Il est donc judicieux de fixer la rémunération du gérant par procès-verbal distinct.

ASSEMBLÉE GÉNÉRALE ORDINAIRE DES ASSOCIÉS DU 2 OCTOBRE 1997

Procès-verbal
Les associés de la société à responsabilité limitée ... *(nom de la société)* au capital de 50 000 F, se sont réunis au siège social : 5, allée du Bois-Fleuri 60950 ERMENON-VILLE *(adresse)*, pour la signature des statuts de la société et la désignation du gérant.

Étaient présents :
– Monsieur Michel BORLA
propriétaire 260 parts

– Madame Catherine BOULOGNE
propriétaire 240 parts

Total des parts représentées 500 parts

Les associés ont pris, à l'unanimité, la résolution unique suivante :

Résolution unique
L'assemblée générale des associés décide que Madame Catherine BOULOGNE percevra au titre de sa fonction de gérant un salaire mensuel brut de ... F, plus une prime annuelle égale à ... % des bénéfices réalisés.
De tout ce que dessus, il a été dressé le présent procès-verbal, qui lecture faite, a été signé par tous les associés.

Michel BORLA Catherine BOULOGNE

Modèle 9

Courrier pour demander au journal d'insérer l'annonce légale

Nom du journal
Adresse

Date

Objet : insertion annonce légale

Madame, Monsieur,

Je vous prie de bien vouloir trouver ci-joint le texte d'une annonce légale concernant la constitution de la société ... *(dénomination),* à faire paraître dans votre édition du ... *(date) (ou encore : dans les meilleurs délais).*

Vous trouverez ci-joint un chèque de ... F *(téléphonez avant pour connaître le prix)* en couverture des frais.

Je vous saurais gré de bien vouloir m'adresser cinq exemplaires originaux de cette publication.

Vous en remerciant, je vous prie d'agréer, Madame, Monsieur, mes salutations distinguées.

Signature

Modèle 10

Annonce de constitution de la société à insérer dans un journal d'annonces légales

Il est obligatoire de publier une annonce de constitution dans un journal d'annonces légales situé dans le département où se trouve le siège social. Vous ne pouvez demander l'immatriculation de la société tant que cette annonce n'a pas été publiée.

Demandez au journal de vous fournir une dizaine d'exemplaires du numéro qui contient votre annonce, car plusieurs organismes vous en réclameront.

Comptez environ 35 F TTC la ligne de 40 signes ou espaces, soit environ 1 200 F l'annonce. Plus le texte est long, plus le prix est élevé. Faites le plus court possible.

Demandez auparavant le prix, car certains journaux facturent l'annonce autour de 6 000 F.

Avis de constitution

Aux termes d'un acte sous seing privé en date du ... *(date de signature des statuts)*, il a été constitué une société à responsabilité limitée, dénommée ... *(nom de la société)* au capital de 50 000 F et dont le siège social est situé ... *(adresse)*.
Objet : ... *(par exemple : import-export de métaux précieux, livraison à domicile de petits colis...)*.
Durée : 99 ans à compter de l'immatriculation au R.C.S.
Gérant : M. Laurent LION, demeurant ... *(indiquez l'adresse personnelle du gérant)*, pour une durée illimitée.
Immatriculation : au Registre du commerce et des sociétés de ... *(ville)*.

Pour avis : le gérant

Modèle 11

Pouvoir pour effectuer les formalités d'immatriculation

Les formalités d'immatriculation au RCS sont en principe effectuées par le représentant légal de la société. Mais le gérant (ou les associés s'il n'est pas encore nommé) peut donner le pouvoir à un associé ou même à une personne extérieure (épouse d'un associé, ami, coursier...) d'effectuer ces formalités. Le mandat est celui qui donne l'autorisation (en principe, le gérant); le mandataire, celui qui reçoit l'autorisation d'effectuer les formalités.

POUVOIR

Je soussigné ... *(nom et prénom du gérant)*
demeurant à ... *(adresse personnelle)*
donne pouvoir à Monsieur (ou Madame) ... *(nom et prénom de celui à qui le pouvoir est donné)*
demeurant à ... *(adresse personnelle)*
à l'effet :

– d'effectuer toutes démarches relatives à la formalité auprès du Registre du commerce et des sociétés;
– et de signer tous documents ou pièces.

Et, d'une façon générale, faire tout ce qui sera nécessaire pour l'exécution des présentes.

Fait à ..., le ...

LE MANDATAIRE	LE MANDANT
(qui doit écrire à la main le mot « accepté » suivi de sa signature)	*(qui doit écrire à la main « bon pour pouvoir » suivi de sa signature)*

Modèle 12

Lettre au receveur des impôts pour lui demander d'enregistrer les statuts

Si vous ne pouvez pas vous rendre à la Recette des impôts du domicile de l'un des futurs associés ou du siège social de la société, envoyez vos originaux des statuts, un chèque de 500 F (en général) et une grande enveloppe suffisamment timbrée pour qu'on vous retourne vos documents.

Recette des impôts de ...
Adresse

Date

Madame, Monsieur,

Je vous prie de bien vouloir trouver aux fins d'enregistrement :

– cinq exemplaires originaux *(ou davantage)* des statuts de la société ... *(dénomination)*;
– un chèque de 500 F en règlement des frais;
– une enveloppe timbrée pour le retour des documents enregistrés.

Vous en remerciant, je vous prie d'agréer, Madame, Monsieur, mes salutations distinguées.

Signature

Modèle 13

Déclaration d'existence aux services fiscaux

En principe, lorsque vous faites votre immatriculation, le Centre de formalités des entreprises avise directement les services fiscaux (en leur envoyant l'un des exemplaires du formulaire de demande d'immatriculation) de la création de votre entreprise.

Mais, parfois, cette information est transmise avec beaucoup de retard. Il est donc préférable (mais c'est facultatif) d'aviser par lettre le Centre des impôts (pour les impôts directs) et la Recette des impôts (pour la TVA) de l'existence de votre entreprise.

En retour, les services fiscaux vous adresseront un formulaire à remplir, que vous devrez renvoyer avec une copie des statuts de la société. Le même modèle peut être utilisé pour le Centre des impôts et pour la Recette des impôts.

Monsieur le Responsable
de centre des impôts
*(ou Monsieur le Receveur
des impôts)*
Adresse

Date

Objet : déclaration d'existence

Monsieur le Responsable de centre,

Nous vous prions de bien vouloir prendre acte de la création de la société ... *(nom)*, société à responsabilité limitée au capital de 50 000 F et dont le siège est situé ... *(adresse)*, immatriculée au R.C.S. de ... *(ville)* sous le numéro ...

Notre société a pour objet : ... *(indiquez-le brièvement, par exemple : restauration à domicile, services informatiques...).*

Nous vous prions de croire, Monsieur le Responsable de centre, à l'expression de notre considération distinguée.

Gilles GALET
Gérant

II. LA SOCIÉTÉ ANONYME

La société anonyme (SA) est une société de capitaux.
C'est une structure plus lourde que la SARL puisqu'il faut davantage d'associés et des capitaux plus importants pour la créer. Elle est plutôt réservée aux gros projets. Son fonctionnement est aussi plus contraignant et plus coûteux que celui de la SARL.

Sauf si l'on a déjà un marché certain et des capitaux importants, il est préférable de démarrer une activité en créant une SARL.

Rien ne vous empêche, si la SARL connaît une belle expansion, de la transformer par la suite en société anonyme.

Cela étant, la société anonyme rassure les banquiers et les partenaires par l'importance de son capital. Les emprunts et les lignes de crédit s'en trouvent facilités.

Les règles qui ont été précisées pour la SARL (page 50 et suivantes) s'appliquent également aux SA, à l'exception des quelques différences que nous indiquons dans ce chapitre.

A. CONDITIONS POUR CRÉER UNE SA

• *Nombre d'associés*
Pour créer une société anonyme, la loi exige au minimum sept associés. Vous pouvez vous associer avec qui vous voulez : enfants, parents, frères, sœurs, amis, relations, partenaires…

Deux époux peuvent naturellement participer à la même société anonyme.

Si le minimum est fixé à sept associés, il n'existe pas de nombre maximal.

• ***Capital***

Le capital minimal pour créer une SA est élevé puisqu'il est fixé à 250 000 F.

Comme dans n'importe quel type de société, les apports peuvent être faits en numéraire (espèces, chèques, virements) ou en nature : bureaux, matériel, outillage, fonds de commerce... (sur les apports, voir page 44).

Le capital est divisé en actions. C'est pourquoi on parle « d'actionnaire » de la société anonyme. La valeur nominale de l'action est librement fixée dans les statuts. Il est d'usage de fixer la valeur de chaque action à 100 F.

Une action est tout simplement un titre de propriété représentant la fraction du capital social que vous possédez.

• ***Gestion de la SA***

La société anonyme est gérée par un conseil d'administration. Lors de la constitution, il est élu par l'assemblée générale extraordinaire (AGE) des associés. Le conseil d'administration comprend au minimum trois membres et au maximum vingt-quatre (ce chiffre s'applique dans les très grosses SA). A l'intérieur de cette limite, le chiffre est librement déterminé dans les statuts.

Ainsi, on peut décider que le conseil comprendra, par exemple, trois administrateurs ou quatre, mais jamais deux.

Les premiers administrateurs de la SA sont obligatoirement nommés dans les statuts pour une durée qui est de trois ans pour le premier mandat suivant la constitution. Pour les nominations faites au cours de la vie sociale, le mandat des administrateurs peut avoir une durée maximale de six ans.

Les statuts doivent également nommer le premier commissaire aux comptes.

Le conseil d'administration est présidé par un président. La loi le nomme « président du conseil d'administration », tandis que la pratique le désigne par le titre de « p-dg », qui se traduit par président-directeur général.

La loi n'a pas prévu de périodicité pour la réunion du conseil d'administration. Les statuts peuvent prévoir une réunion par mois ou tous les deux mois. En tout état de cause, le président convoque le conseil d'administration chaque fois qu'il le juge utile.

Les délibérations du conseil d'administration doivent être constatées par des procès-verbaux.

Lorsque la société a un capital inférieur à 500 000 F, il est possible de ne pas nommer un conseil d'administration, mais un seul directeur général.

Les bénéfices de la SA sont soumis à l'impôt sur les sociétés (IS). Les dividendes d'actions sont imposés comme les dividendes de parts sociales de SARL.

Le président du conseil d'administration a toujours le statut fiscal de salarié, quelle que soit la part du capital qu'il possède dans la SA.

La société anonyme doit obligatoirement avoir un commissaire aux comptes. Ce qui correspond à une dépense de 40 000 F à 60 000 F pour une petite SA et davantage si elle est importante.

B. FORMALITÉS DE CRÉATION DE LA SA

Les formalités de création et d'immatriculation de la société anonyme sont identiques à celles développées (en page 50 et suivantes) pour la SARL.
Reportez-vous à ces formulaires.

C. MODÈLES D'ACTES POUR CRÉER VOTRE SA

- Lettre à l'I.N.P.I. pour recherche d'antériorité d'une dénomination ou d'une marque, voir page 58, modèle 1.
- Lettre d'avertissement au conjoint d'un associé marié sous le régime de la communauté de biens, voir page 60, modèle 2.

- Attestation de renonciation du conjoint d'un associé, voir page 62, modèle 3.
- Lettre au bailleur ou au syndic pour domiciliation provisoire de la société, voir page 63, modèles 4 et 5.
- Lettre à l'assureur pour l'aviser de la domiciliation, voir page 66, modèle 6.

Règles particulières à la SA

Le formalisme d'approbation des comptes annuels précisé pour la SARL est le même pour une société anonyme, hormis ces petites différences :

- l'assemblée générale ordinaire des actionnaires est convoquée par le conseil d'administration (et non pas son président) ;
- le rapport de gestion est établi aussi par le conseil d'administration ;
- le commissaire aux comptes est obligatoirement convoqué à l'AGO.

Le dépôt au greffe comprend aussi le rapport du commissaire aux comptes.

Modèle 14

STATUTS DE SOCIÉTÉ ANONYME

STATUTS DE SOCIÉTÉ ANONYME

LES SOUSSIGNÉS :

M. ... *(état civil complet), (profession)*, demeurant à ..., marié avec Mme ... *(état civil complet)*, sous le régime ... *(indiquez ici le régime matrimonial, la date et le lieu du mariage; si un contrat de mariage a été établi, indiquez le nom du notaire rédacteur de l'acte et la date du contrat).*

M. ... *(état civil complet), (profession)*, demeurant à ..., marié avec Mme ... *(état civil complet)*, sous le régime ... *(indiquez ici le régime matrimonial, la date et le lieu du mariage; si un contrat de mariage a été établi, indiquez le nom du notaire rédacteur de l'acte et la date du contrat).*

ONT ÉTABLI, AINSI QU'IL SUIT, LES STATUTS D'UNE SOCIÉTÉ ANONYME NE FAISANT PAS APPEL PUBLIC À L'ÉPARGNE, QU'ILS ONT DÉCIDÉ DE CONSTITUER ENTRE EUX.

Article 1 – FORME

Il est formé entre les propriétaires des actions ci-après créées, et de celles qui pourront l'être ultérieurement, une société anonyme régie par les lois en vigueur et par les présents statuts.

Article 2 – OBJET

La société a pour objet :
– ...;
– le tout directement ou indirectement, pour son compte ou pour le compte de tiers, soit seule, soit avec des tiers, au moyen de création de sociétés ou groupements nouveaux, d'apports, de souscription, d'achat de titres ou droits sociaux, de fusion, d'alliance, de société en participation ou de prise en location ou en gérance de tous biens ou droits, ou autrement;
– et, généralement, toutes opérations financières, commerciales, industrielles, civiles, immobilières ou mobilières pouvant se rattacher, directement ou indirectement, à l'un des objets spécifiés ci-dessus ou à tout objet similaire ou connexe, ou de nature à favoriser le développement du patrimoine social.

Article 3 – DÉNOMINATION

La dénomination de la société est :
– ...

(Dans tous les actes et documents émanant de la société, la dénomination sociale doit toujours être précédée ou suivie des mots « société anonyme » ou des initiales « SA » et de l'énonciation du montant du capital social.)

Article 4 – SIÈGE SOCIAL

Le siège social est fixé à ... *(adresse).*

Il peut être transféré en tout autre endroit du même département ou d'un département limitrophe par une simple décision du conseil d'administration, sous réserve de ratification de cette décision par la prochaine assemblée générale ordinaire et, partout ailleurs en France, en vertu d'une délibération de l'assemblée générale extraordinaire des actionnaires.

Lors d'un transfert décidé par le conseil d'administration, celui-ci est autorisé à modifier les statuts en conséquence.

Article 5 – DURÉE

La durée de la société est de 99 ans à compter de la date de son immatriculation au Registre du commerce et des sociétés, sauf les cas de dissolution anticipée ou de prorogation décidée par l'assemblée générale extraordinaire des actionnaires.

Article 6 – APPORTS

Lors de la constitution, il est fait apport à la société d'une somme de ... francs correspondant à la valeur nominale des ... actions, toutes de numéraire, composant le capital social; lesdites actions souscrites et libérées dans les conditions exposées ci-après par :

– par M. ...
à concurrence de ... francs, ci ... francs

– par M. ...
à concurrence de ... francs, ci ... francs

– par M. ...
à concurrence de ... francs, ci ... francs

– par M. ...
à concurrence de ... francs, ci ... francs

– par M. ...
à concurrence de ... francs, ci ... francs

Total des apports : ... francs, ci ... francs

seules personnes physiques ou morales signataires des statuts.

La somme de ... francs, correspondant à ... actions de ... francs de nominal chacune, souscrites et libérées ... *(de la moitié, intégralement)* de leur valeur nominale, a été régulièrement déposée à un compte ouvert au nom de la société en formation à ... *(nom et adresse de la banque)* et les versements des souscripteurs ont été constatés par un certificat établi conformément à la loi et délivré par ladite banque, le ... *(date)*.

Article 7 – CAPITAL SOCIAL

Le capital social est fixé à ... francs.

Il est divisé en ... actions de ... francs chacune, de même catégorie.

Article 8 – MODIFICATION DU CAPITAL SOCIAL

I – Le capital social peut être augmenté par tous modes et de toutes manières autorisés par la loi.

L'assemblée générale extraordinaire est seule compétente pour décider l'augmentation du capital, sur le rapport du conseil d'administration contenant les indications requises par la loi.

Conformément à la loi, les actionnaires ont, proportionnellement au montant de leurs actions, un droit de préférence à la souscription des actions de numéraire émises pour réaliser une augmentation de capital, droit auquel ils peuvent renoncer à titre individuel. Ils disposent, en outre, d'un droit de souscription à titre réductible si l'assemblée générale l'a décidé expressément.

Le droit à l'attribution d'actions nouvelles, à la suite de l'incorporation au capital de réserves, bénéfices ou primes d'émission, appartient au nu-propriétaire, sous réserve des droits de l'usufruitier.

II – L'assemblée générale extraordinaire des actionnaires peut aussi, sous réserve, le cas échéant, des droits des créanciers, autoriser ou décider la réduction du capital social pour telle cause et de telle manière que ce soit, mais, en aucun cas, la réduction de capital ne peut porter atteinte à l'égalité entre actionnaires.

La réduction du capital social, quelle qu'en soit la cause, à un montant inférieur au minimum légal, ne peut être décidée que sous la condition suspensive d'une augmentation de capital destinée à amener celui-ci au moins au minimum légal, à moins que la société ne se transforme en société d'une autre forme, n'exigeant pas un capital supérieur au capital social après sa réduction.

A défaut, tout intéressé peut demander en justice la dissolution de la société; celle-ci ne peut être prononcée si, au jour où le tribunal statue sur le fond, la régularisation a eu lieu.

Article 9 – LIBÉRATION DES ACTIONS

Les actions souscrites en numéraire en augmentation du capital social doivent être libérées selon les modalités fixées par l'assemblée générale extraordinaire, libération qui ne peut être inférieure à la moitié au moins de leur valeur nominale lors de leur souscription et, le cas échéant, de la totalité de la prime d'émission.

La libération du surplus doit intervenir en une ou plusieurs fois sur appel du conseil d'administration, dans le délai de cinq ans à compter du jour où cette augmentation de capital est devenue définitive.

Les appels de fonds sont portés à la connaissance des souscripteurs, quinze jours au moins avant la date fixée pour chaque versement, par lettre recommandée avec avis de réception adressée à chaque titulaire d'actions.

Tout retard dans le versement des sommes dues sur le montant non libéré des actions porte, de plein droit et sans qu'il soit besoin de procéder à une formalité quelconque, intérêt au taux légal, à partir de la date d'exigibilité, sans préjudice de l'action personnelle que la société peut exercer contre l'actionnaire défaillant et des mesures d'exécution forcée prévues par la loi.

Article 10 – FORME DES ACTIONS

Les actions sont nominatives.

Elles donnent lieu à une inscription en compte dans les conditions et selon les modalités prévues par la loi.

A la demande de l'actionnaire, une attestation d'inscription en compte lui sera délivrée par la société.

Article 11 - CESSION ET TRANSMISSION DES ACTIONS

I - La propriété des actions résulte de leur inscription dans un compte ouvert au nom de leur titulaire dans les livres de la société; leur transmission s'effectue par simple virement de compte à compte, enregistré par ordre chronologique sur le registre des mouvements, coté et paraphé, et tenu à jour conformément à la loi.

Les cessions d'actions s'opèrent par un ordre de mouvement qui doit être revêtu de la signature du titulaire des titres cédés.

La société est tenue de procéder à cette transcription le jour même de la réception de l'ordre de mouvement.

Si les actions ne sont pas entièrement libérées, l'ordre de mouvement doit être signé, en outre, par le cessionnaire.

Les transmissions d'actions à titre gratuit, ou en suite de décès, s'opèrent également par un ordre de mouvement transcrit sur le registre des mouvements, sur justification de la mutation dans les conditions légales et sous réserve, le cas échéant, du respect de la procédure définie ci-après.

Les frais de transfert sont à la charge des cessionnaires, sauf convention contraire entre cédants et cessionnaires.

Les actions non libérées des versements exigibles ne sont pas admises au transfert.

La société tient à jour, au moins semestriellement, la liste des personnes titulaires d'actions, avec l'indication du domicile déclaré par chacune d'elles.

Les actions de numéraire provenant d'une augmentation de capital sont négociables dès la réalisation de celle-ci.

Les actions d'apport sont négociables dès l'immatriculation de la société au Registre du commerce et des sociétés.

II – Sauf en cas de succession en ligne directe, de liquidation de biens de communauté entre époux ou de cession, soit à un conjoint, soit à un ascendant ou à un descendant ou au profit d'une personne nommée administrateur, la cession d'actions à un tiers non actionnaire, à quelque titre que ce soit, est soumise à l'agrément de la société dans les conditions ci-après :

En cas de cession projetée, le cédant doit en faire la déclaration à la société par acte extrajudiciaire ou par lettre recommandée avec avis de réception en indiquant les nom, prénoms, profession et domicile du cessionnaire, ou la dénomination et le siège social s'il s'agit d'une société, le nombre des actions dont la cession est envisagée ainsi que le prix offert.

A cette déclaration doit être jointe, le cas échéant, l'attestation d'inscription en compte dans laquelle sont comprises les actions dont la cession est projetée.

Dans les trois mois qui suivent cette déclaration, le conseil d'administration est tenu de notifier au cédant s'il accepte ou refuse la cession projetée. A défaut de notification dans ce délai de trois mois, l'agrément est réputé acquis.

La décision d'acceptation doit être prise à la majorité des voix des administrateurs présents ou représentés ; le cédant, s'il est administrateur, ne prenant pas part au vote. Conformément à la loi et aux présents statuts, la présence effective de la moitié au moins des administrateurs en fonction est nécessaire.

La décision n'est pas motivée et, en cas de refus, elle ne peut jamais donner lieu à une réclamation quelconque.

Dans les dix jours de la décision, le cédant doit en être informé par lettre recommandée. En cas de refus, le cédant aura huit jours pour faire connaître dans la même forme s'il renonce ou non à son projet de cession.

Dans le cas où le cédant ne renoncerait pas à son projet, le conseil d'administration est tenu de faire acquérir les actions, soit par des actionnaires ou par des tiers, soit, avec le consentement du cédant, par la société, en vue d'une réduction du capital, et ce, dans le délai de trois mois à compter de la notification du refus.

A cet effet, le conseil d'administration avisera les actionnaires, par lettre recommandée, de la cession projetée en invitant chaque actionnaire à lui indiquer le nombre d'actions qu'il veut acquérir.

Les offres d'achat doivent être adressées par les actionnaires au conseil d'administration, par lettre recommandée avec avis de réception, dans les quinze jours de la notification qu'ils ont reçue.

La répartition entre les actionnaires acheteurs des actions offertes est effectuée par le conseil d'administration, proportionnellement à leur participation dans le capital et dans la limite de leurs demandes. S'il y a lieu, les actions non réparties sont attribuées par voie de tirage au sort à autant d'actionnaires acheteurs qu'il reste d'actions à attribuer.

Si aucune demande d'achat n'a été adressée au conseil d'administration dans le délai ci-dessus, ou si les demandes ne portent pas sur la totalité des actions offertes, le conseil d'administration peut faire acheter les actions disponibles par un tiers.

Les actions peuvent être également achetées par la société si le cédant est d'accord. A cet effet, le conseil d'administration doit d'abord demander cet accord par lettre recommandée avec avis de réception. L'actionnaire cédant doit faire connaître sa réponse dans les huit jours suivant la réception de la demande.

En cas d'accord, le conseil convoque une assemblée générale extraordinaire des actionnaires, à l'effet de décider, s'il y a lieu, du rachat des actions par la société et de la réduction corrélative du capital social. Cette convocation doit être effectuée suffisamment tôt pour que soit respecté le délai de trois mois indiqué ci-après.

Dans tous les cas d'achat ou de rachat visés ci-dessus, le prix des actions est fixé ainsi qu'il est dit au paragraphe 6 ci-après.

Si la totalité des actions n'a pas été achetée ou rachetée dans le délai de trois mois à compter de la notification du refus d'autorisation de cession, l'actionnaire vendeur peut réaliser la vente au profit du cessionnaire primitif pour la totalité des actions cédées, nonobstant les offres d'achat partielles qui auraient été faites dans les conditions visées ci-dessus.

Ce délai de trois mois peut être prolongé par ordonnance non susceptible de recours du président du tribunal de commerce statuant par ordonnance de référé, l'actionnaire cédant et le cessionnaire dûment appelés.

Dans le cas où les actions offertes sont acquises par des actionnaires ou par des tiers, le conseil d'administration notifie à l'actionnaire cédant les nom, prénoms, domicile du ou des acquéreurs.

Le prix de cession des actions est fixé d'accord entre eux et le cédant. Faute d'accord sur le prix, celui-ci est déterminé par un expert, conformément aux dispositions de l'article 1843-4 du Code civil.

Les frais d'expertise sont supportés par moitié par le vendeur et par moitié par les acquéreurs.

La cession au nom du ou des acquéreurs désignés est régularisée d'office par un ordre de mouvement, signé par le président du conseil d'administration ou un délégué du conseil, sans qu'il soit besoin de celle du titulaire des actions.

Avis est donné audit titulaire par lettre recommandée avec avis de réception, dans les huit jours de la détermination du prix, d'avoir à se présenter au siège social pour toucher ce prix, lequel n'est pas productif d'intérêts.

Les dispositions du présent article sont applicables dans tous les cas de cession entre vifs, soit à titre gratuit, soit à titre onéreux, alors même que la cession aurait lieu par voie d'adjudication publique en vertu d'une décision de justice.

Ces dispositions sont également applicables en cas d'apport en société, d'apport partiel d'actif, de fusion ou de scission.

La clause d'agrément, objet du présent article, peut s'appliquer également à la cession des droits d'attribution en cas d'augmentation de capital par incorporation de réserves, provisions ou bénéfices.

Elle s'applique aussi en cas de cession de droit de souscription à une augmentation de capital par voie d'apports en numéraire.

Dans l'un et l'autre cas, le droit d'agrément et les conditions de rachat stipulés au présent article s'exercent sur les actions souscrites et le délai imparti au conseil d'administration, pour notifier au tiers souscripteur s'il accepte ou non de maintenir celui-ci comme actionnaire, est de trois mois à compter de la date de réalisation définitive de l'augmentation de capital.

En cas de rachat, le prix à payer est égal à la valeur des actions nouvelles déterminée conformément aux dispositions de l'article 1843-4 du Code civil.

En cas d'attribution d'actions de la présente société, à la suite du partage d'une société tierce possédant ces actions en portefeuille, les attributions faites à des personnes n'ayant pas déjà la qualité d'actionnaire seront soumises à l'agrément institué par le présent article.

Le projet d'attribution à des personnes autres que les actionnaires devra, en conséquence, faire l'objet d'une demande d'agrément par le liquidateur de la société, dans les conditions fixées au paragraphe 1 ci-dessus.

A défaut de notification au liquidateur de la décision du conseil d'administration, dans les trois mois qui suivront la demande d'agrément, cet agrément se trouvera acquis.

En cas de refus d'agrément des attributaires ou de certains d'entre eux, le liquidateur pourra, dans un délai de trente jours à dater de la notification du refus d'agrément, modifier les attributions faites de façon à ne faire présenter que des attributaires agréés.

Dans le cas où aucun attributaire ne serait agréé, comme dans le cas où le liquidateur n'aurait pas modifié son projet de partage dans le délai ci-dessus visé, les actions attribuées aux actionnaires non agréés devront être achetées ou rachetées à la société en liquidation dans les conditions fixées sous les paragraphes 2 et 4 ci-dessus.

A défaut d'achat ou de rachat de la totalité des actions, objet du refus d'agrément, dans le délai stipulé au paragraphe 5 ci-dessus, le partage pourra être réalisé conformément au projet présenté.

Les projets de nantissement d'actions sont soumis à l'agrément de la société dans les conditions visées au chapitre II paragraphe 1 du présent article.

Si la société a donné son consentement à un projet de nantissement, la constitution en gage est réalisée, tant à l'égard de la société qu'à l'égard des tiers, par une déclaration datée et signée par le titulaire; la déclaration contient le montant de la somme due ainsi que le montant et la nature des titres constitués en gage.

Les titres nantis sont virés à un compte spécial, ouvert au nom du titulaire et tenu par la société. Une attestation de constitution de nantissement est délivrée au créancier gagiste.

Le consentement à un projet de nantissement d'actions emporte agrément de l'adjudicataire en cas de réalisation forcée des actions nanties, en vertu des dispositions de l'article 2078 premier alinéa du Code civil, ou du créancier nanti en cas d'attribution judiciaire des actions, à moins que la société ne préfère, après la cession, racheter sans délai les actions en vue de réduire son capital.

Article 12 – DROITS ET OBLIGATIONS ATTACHÉS AUX ACTIONS

Chaque action donne droit, dans les bénéfices et l'actif social, à une part proportionnelle à la quotité du capital qu'elle représente.

En outre, elle donne droit au vote et à la représentation dans les assemblées générales dans les conditions légales et statutaires.

Les actionnaires sont responsables à concurrence du montant nominal des actions qu'ils possèdent; au-delà, tout appel de fonds est interdit.

Les droits et obligations suivent l'action quel qu'en soit le titulaire.
La propriété d'une action emporte de plein droit adhésion aux statuts de la société et aux décisions de l'assemblée générale.

Les héritiers, créanciers, ayants droit ou autres représentants d'un actionnaire ne peuvent requérir l'apposition des scellés sur les biens et valeurs de la société, ni en demander le partage ou la licitation, ni s'immiscer dans les actes de son administration; ils doivent, pour l'exercice de leurs droits, s'en rapporter aux inventaires sociaux et aux décisions de l'assemblée générale.

Chaque fois qu'il sera nécessaire de posséder plusieurs actions pour exercer un droit quelconque, en cas d'échange, de regroupement ou d'attribution d'actions, ou en conséquence d'augmentation ou de réduction de capital, de fusion ou autre opération sociale, les propriétaires d'actions isolées, ou en nombre inférieur à celui requis, ne peuvent exercer ces droits qu'à la condition de faire leur affaire personnelle du groupement et, éventuellement, de l'achat ou de la vente d'actions nécessaires.

A moins d'une prohibition légale, il sera fait masse entre toutes les actions de toutes exonérations ou imputations fiscales, comme de toutes taxations susceptibles d'être prises en charge par la société, avant de procéder à toute répartition ou à tout remboursement, au cours de l'existence de la société ou à sa liquidation, de telle sorte que, compte tenu de leur valeur nominale et de leur jouissance respectives, toutes les actions de même catégorie reçoivent la même somme nette.

Article 13 – INDIVISIBILITÉ DES ACTIONS – NUE-PROPRIÉTÉ – USUFRUIT

Les actions sont indivisibles à l'égard de la société.

Les propriétaires indivis d'actions sont tenus de se faire représenter auprès de la société par un seul d'entre eux, considéré comme seul propriétaire ou par un mandataire unique; en cas de désaccord, le mandataire unique peut être désigné en justice à la demande du copropriétaire le plus diligent.

Sauf convention contraire notifiée à la société, les usufruitiers d'actions représentent valablement les nus-propriétaires à l'égard de la société; toutefois, le droit de vote appartient au nu-propriétaire dans les assemblées générales extraordinaires.

Article 14 – CONSEIL D'ADMINISTRATION

La société est administrée par un conseil d'administration de trois membres au moins et de vingt-quatre au plus, sous réserve de la dérogation prévue par la loi en cas de fusion.

Nul ne peut être nommé administrateur si, ayant dépassé l'âge de ... ans, sa nomination a pour effet de porter à plus du tiers des membres du conseil le nombre d'administrateurs ayant dépassé cet âge. Si, du fait qu'un administrateur en fonction vient à dépasser l'âge de ... ans, la proportion du tiers ci-dessus visée est dépassée, l'administrateur le plus âgé est réputé démissionnaire d'office à l'issue de la plus proche assemblée générale ordinaire.

En cours de vie sociale, les administrateurs sont nommés ou renouvelés dans leurs fonctions par l'assemblée générale ordinaire des actionnaires.

La durée de leurs fonctions est de six années au plus.

Les fonctions d'un administrateur prennent fin à l'issue de la réunion de l'assemblée générale ordinaire, qui statue sur les comptes de l'exercice écoulé, tenue dans l'année au cours de laquelle expire le mandat dudit administrateur.

Les administrateurs sont toujours rééligibles.

Ils peuvent être révoqués à tout moment par l'assemblée générale ordinaire.

Les administrateurs peuvent être des personnes physiques ou des personnes morales; ces dernières doivent, lors de leur nomination, désigner un représentant permanent qui est soumis aux mêmes conditions et obligations et qui encourt les mêmes responsabilités que s'il était administrateur en son nom propre, sans préjudice de la responsabilité solidaire de la personne morale qu'il représente. Ce mandat de représentant permanent lui est donné pour la durée de celui de la personne morale qu'il représente. Il doit être renouvelé à chaque renouvellement de mandat de celle-ci.

Si la personne morale révoque le mandat de son représentant, elle est tenue de notifier cette révocation à la société, sans délai, par lettre recommandée, ainsi que l'identité de son nouveau représentant permanent. Il en est de même en cas de décès, de démission ou d'empêchement prolongé du représentant permanent.

Si un ou plusieurs sièges d'administrateurs deviennent vacants entre deux assemblées générales, par suite de décès ou de démission, le conseil d'administration peut procéder à une ou à des nominations à titre provisoire.

Les nominations d'administrateurs faites par le conseil d'administration sont soumises à la ratification de la plus prochaine assemblée générale ordinaire. A défaut de ratification, les délibérations prises et les actes accomplis antérieurement par le conseil n'en demeurent pas moins valables.

S'il ne reste plus qu'un seul ou que deux administrateurs en fonction, celui-ci ou ceux-ci ou, à défaut, le ou les commissaires aux comptes, doivent convoquer immédiatement l'assemblée générale ordinaire des actionnaires à l'effet de compléter le conseil.

L'administrateur nommé en remplacement d'un autre ne demeure en fonction que pendant le temps restant à courir du mandat de son prédécesseur.

Les administrateurs personnes physiques ne peuvent appartenir au total à plus de huit conseils d'administration ou conseils de surveillance de sociétés anonymes ayant leur siège en France métropolitaine, sauf les exceptions prévues par la loi.

Un salarié de la société peut être nommé administrateur si son contrat de travail correspond à un emploi effectif; il ne perd pas le bénéfice de ce contrat de travail. Toutefois, le nombre des administrateurs liés à la société par un contrat de travail ne peut dépasser le tiers des membres en fonction.

Article 15 – ADMINISTRATEURS – PROPRIÉTÉ D'ACTIONS

Les administrateurs, conformément aux dispositions de l'article 95 de la loi du 24 juillet 1966, modifiée par la loi du 5 janvier 1988, doivent être propriétaires de ... actions.

Les administrateurs nommés en cours de vie sociale peuvent ne pas être actionnaires au moment de leur nomination, mais doivent le devenir dans un délai de trois mois, à défaut de quoi ils seront réputés démissionnaires d'office.

Article 16 – BUREAU DU CONSEIL

Le conseil d'administration nomme, parmi ses membres personnes physiques, un président dont il fixe la durée des fonctions sans qu'elle puisse excéder la durée de son mandat d'administrateur.

Nul ne peut être nommé président-directeur général s'il est âgé de plus de ... ans. D'autre part, si le président-directeur général vient à dépasser cet âge, il est réputé démissionnaire d'office à l'issue de la plus prochaine réunion du conseil d'administration.

Le conseil d'administration nomme de même, s'il le juge utile, un ou plusieurs vice-présidents dont il fixe également la durée des fonctions sans qu'elle puisse excéder la durée de leur mandat d'administrateur.

Le conseil peut nommer également un secrétaire, même en dehors de ses membres.

En cas d'absence ou d'empêchement du président, la séance du conseil est présidée par le vice-président exerçant les fonctions de directeur général ou le vice-président le plus ancien.

A défaut, le conseil désigne parmi ses membres le président de séance.

Le président, les vice-présidents et le secrétaire peuvent toujours être réélus.

Article 17 – DÉLIBÉRATIONS DU CONSEIL

Le conseil d'administration se réunit aussi souvent que l'intérêt de la société l'exige, sur la convocation de son président ou celle du tiers au moins de ses membres, même si la dernière réunion date de moins de deux mois.

La réunion a lieu au siège social, ou en tout autre endroit indiqué dans la convocation.

En principe, la convocation doit être faite trois jours à l'avance par lettre, télégramme, télécopie ou télex. Mais elle peut être verbale et sans délai si tous les administrateurs y consentent.

Toute convocation doit mentionner les principales questions figurant à l'ordre du jour.

Pour la validité des délibérations, la présence effective de la moitié au moins des administrateurs est nécessaire.

Les décisions sont prises à la majorité des voix des membres présents ou représentés, chaque administrateur disposant d'une voix et ne pouvant représenter plus d'un de ses collègues. Lorsque le conseil d'administration est appelé à statuer sur un projet de cession d'actions à un tiers non actionnaire, il statue dans les conditions prévues à l'article 11, paragraphe 2 des présents statuts.

En cas de partage, la voix du président de séance est prépondérante.

Il est tenu un registre de présence qui est signé par les administrateurs participant à la séance du conseil d'administration.

La justification du nombre des administrateurs en exercice et de leur nomination résulte valablement, vis-à-vis des tiers, de la seule énonciation, dans le procès-verbal de chaque réunion, des noms des administrateurs présents, représentés ou absents.

Les délibérations du conseil sont constatées par des procès-verbaux établis conformément aux dispositions légales en vigueur et signés par le président de la séance et par un administrateur ou, en cas d'empêchement du président, par deux administrateurs.

Les copies ou extraits de ces procès-verbaux sont certifiés par le président du conseil d'administration, un directeur général, l'administrateur délégué temporairement dans les fonctions du président ou un fondé de pouvoirs habilité à cet effet.

Article 18 – POUVOIRS DU CONSEIL D'ADMINISTRATION

Le conseil d'administration a les pouvoirs les plus étendus pour agir au nom de la société et pour faire ou autoriser toutes les opérations intéressant l'activité de la société, telle qu'elle est fixée dans l'objet social.

Dans les rapports avec les tiers, la société est engagée même par les actes du conseil d'administration qui ne relèvent pas de l'objet social, à moins qu'elle ne prouve que le tiers savait que l'acte dépassait cet objet ou qu'il ne pouvait l'ignorer compte tenu des circonstances, étant exclu que la seule publication des statuts suffise à constituer cette preuve.

Tous actes d'administration et même de disposition qui ne sont pas expressément réservés à l'assemblée générale par la loi et par les présents statuts sont de sa compétence.

Le conseil d'administration peut consentir à tous mandataires de son choix toutes délégations de pouvoirs dans la limite de ceux qui lui sont conférés par la loi et par les présents statuts. Il peut décider la création de comités chargés d'étudier les questions que lui-même ou son président soumet pour avis à leur examen.

Article 19 – DIRECTION GÉNÉRALE – DÉLÉGATION DE POUVOIRS

I – Le président du conseil d'administration assume, sous sa responsabilité, la direction générale de la société et la représente dans ses rapports avec les tiers, avec les pouvoirs les plus étendus, dans la limite de l'objet social, sous réserve, toutefois, des pouvoirs expressément attribués par la loi aux assemblées générales et des pouvoirs spécifiques du conseil d'administration.

Le président engage la société même par les actes qui ne relèvent pas de l'objet social, à moins qu'elle ne prouve que le tiers savait que l'acte dépassait cet objet ou qu'il ne pouvait l'ignorer, compte tenu des circonstances, étant exclu que la seule publication des statuts suffise à constituer cette preuve.

Toute limitation des pouvoirs du président par décision du conseil d'administration est sans effet à l'égard des tiers.

Le président du conseil d'administration a la faculté de substituer partiellement dans ses pouvoirs autant de mandataires qu'il avisera.

En cas d'empêchement temporaire ou de décès du président, le conseil d'administration peut déléguer un administrateur dans les fonctions de président; en cas d'empêchement, cette délégation est de durée limitée et renouvelable; en cas de décès, elle vaut jusqu'à élection du nouveau président.

II – Sur la proposition du président, le conseil d'administration peut nommer un directeur général ou plusieurs, dans le cas autorisé par la loi.

Les directeurs généraux sont obligatoirement des personnes physiques; ils peuvent être choisis parmi les administrateurs ou en dehors d'eux.

Nul ne peut être nommé directeur général s'il est âgé de plus de ... ans. D'autre part, si un directeur général en fonctions vient à dépasser cet âge, il est réputé démissionnaire à l'issue de la plus prochaine réunion du conseil d'administration.

Les directeurs généraux sont révocables à tout moment par le conseil d'administration, sur la proposition du président. En cas de décès, démission ou révocation de ce dernier, ils conservent, sauf décision contraire du conseil, leurs fonctions et leurs attributions jusqu'à la nomination du nouveau président.

L'étendue et la durée des pouvoirs délégués aux directeurs généraux sont déterminés par le conseil d'administration, en accord avec le président. Toutefois, la limitation de ces pouvoirs n'est pas opposable aux tiers, vis-à-vis desquels chaque directeur général a les mêmes pouvoirs que le président.

Lorsqu'un directeur général est administrateur, la durée de ses fonctions ne peut excéder celle de son mandat.

III – Le conseil d'administration peut confier à tous mandataires, choisis parmi ses membres ou en dehors de son sein, des missions permanentes ou temporaires qu'il détermine, leur déléguer les pouvoirs et fixer la rémunération qu'il juge convenable.

Article 20 – RÉMUNÉRATION DES ADMINISTRATEURS, DU PRÉSIDENT, DES DIRECTEURS GÉNÉRAUX ET DES MANDATAIRES DU CONSEIL D'ADMINISTRATION

L'assemblée générale ordinaire peut allouer aux administrateurs des jetons de présence, dont le montant est porté aux frais généraux de la société et reste maintenu jusqu'à décision contraire de l'assemblée générale.

Le conseil d'administration répartit cette rémunération entre ses membres comme il l'entend.

La rémunération du président du conseil d'administration et celle du ou des directeurs généraux est fixée par le conseil d'administration; elles peuvent être fixes, proportionnelles ou à la fois fixes et proportionnelles.

Il peut être alloué par le conseil d'administration des rémunérations exceptionnelles pour les missions ou mandats confiés à des administrateurs; dans ce cas, ces rémunérations sont portées aux charges d'exploitation et soumises à l'approbation de l'assemblée générale ordinaire.

Aucune autre rémunération, permanente ou non, que celles ici prévues ne peut être allouée aux administrateurs, sauf s'ils sont liés à la société par un contrat de travail dans les conditions autorisées par la loi.

Article 21 – CONVENTIONS ENTRE LA SOCIÉTÉ ET UN ADMINISTRATEUR OU UN DIRECTEUR GÉNÉRAL

Toute convention entre la société et l'un de ses administrateurs ou directeurs généraux, soit directement, soit indirectement, soit par personne interposée, doit être soumise à l'autorisation préalable du conseil d'administration.

Il en est de même pour les conventions entre la société et une autre entreprise, si l'un des administrateurs ou directeurs généraux de la société est propriétaire, associé en nom, gérant, administrateur, directeur général, membre du conseil de surveillance ou du directoire de l'entreprise.

Les dispositions qui précèdent ne sont pas applicables aux conventions portant sur les opérations courantes de la société et conclues à des conditions normales.

L'administrateur ou le directeur général intéressé est tenu d'informer le conseil dès qu'il a connaissance d'une convention soumise à autorisation. Il ne peut prendre part au vote sur l'autorisation sollicitée.

Ces conventions sont autorisées dans les conditions prévues par la loi.

Article 22 – ACHAT PAR LA SOCIÉTÉ D'UN BIEN APPARTENANT A UN ACTIONNAIRE

Lorsque la société, dans les deux ans suivant son immatriculation, acquiert un bien appartenant à un actionnaire et dont la valeur est au moins égale à un dixième du capital social, un commissaire, chargé d'apprécier, sous sa responsabilité, la valeur de ce bien, est désigné par décision en justice à la demande du président du conseil d'administration.

Le rapport du commissaire ainsi que les autres documents prévus par la loi sont mis à la disposition des actionnaires.

L'assemblée générale ordinaire statue sur l'évaluation du bien, à peine de nullité de l'acquisition. Le vendeur n'a voix délibérative ni pour lui-même ni comme mandataire.

Toutefois, ces dispositions ne sont pas applicables lorsque l'acquisition est faite en Bourse, sous le contrôle d'une autorité judiciaire, ou dans le cadre des opérations courantes de la société et conclues à des conditions normales.

Article 23 – COMMISSAIRES AUX COMPTES

Le contrôle est exercé par un ou plusieurs commissaires aux comptes titulaires qui sont nommés et exercent leur mission conformément à la loi.

L'assemblée générale nomme également un ou plusieurs commissaires aux comptes suppléants, appelés à remplacer les titulaires en cas de refus, d'empêchement, de démission ou de décès de ces derniers.

Article 24 – ASSEMBLÉES GÉNÉRALES

Les décisions collectives des actionnaires sont prises en assemblées générales, lesquelles sont qualifiées d'ordinaires, d'extraordinaires ou de spéciales selon la nature des décisions qu'elles sont appelées à prendre.

Les assemblées spéciales réunissent les titulaires d'actions d'une catégorie déterminée pour statuer sur toute modification des droits des actions de cette catégorie. Ces assemblées sont convoquées et délibèrent dans les mêmes conditions que les assemblées générales extraordinaires.

Toute assemblée générale régulièrement constituée représente l'universalité des actionnaires.

Les délibérations des assemblées générales obligent tous les actionnaires, même absents, dissidents ou incapables.

Article 25 - CONVOCATION ET LIEU DE RÉUNION DES ASSEMBLÉES GÉNÉRALES

Les assemblées générales sont convoquées soit par le conseil d'administration, soit par le ou les commissaires aux comptes en cas d'urgence, soit par toute personne habilitée à cet effet.

Les assemblées générales sont réunies au siège social ou en tout autre endroit indiqué dans la convocation.

La convocation est faite, quinze jours avant la date de l'assemblée, soit par lettre simple ou recommandée adressée à chaque actionnaire, soit par un avis inséré dans un journal d'annonces légales du département du siège social. En cas de convocation par insertion, chaque actionnaire doit également être convoqué par lettre simple ou, sur sa demande et à ses frais, par lettre recommandée.

Lorsqu'une assemblée n'a pu délibérer, faute de réunir le quorum requis, la deuxième assemblée et, le cas échéant, la deuxième assemblée prorogée sont convoquées six jours au moins à l'avance dans les mêmes formes que la première. L'avis et/ou les lettres de convocation de cette deuxième assemblée reproduisent la date et l'ordre du jour de la première.

Chaque avis et/ou lettre de convocation doivent contenir les mentions prescrites par la loi.

Article 26 – ORDRE DU JOUR

L'ordre du jour des assemblées est arrêté par l'auteur de la convocation.

Un ou plusieurs actionnaires, représentant au moins la quotité du capital social, fixée par la loi, et agissant dans les conditions et délais légaux, ont la faculté de requérir, par lettre recommandée avec avis de réception, l'inscription à l'ordre du jour de l'assemblée de projets de résolutions.

L'assemblée ne peut délibérer sur une question qui n'est pas inscrite à l'ordre du jour, lequel ne peut être modifié sur deuxième convocation. Elle peut, toutefois, en toutes circonstances, révoquer un ou plusieurs administrateurs et procéder à leur remplacement.

Article 27 – ACCÈS AUX ASSEMBLÉES – POUVOIRS

Tout actionnaire a le droit d'assister aux assemblées générales et de participer aux délibérations personnellement ou par mandataire, quel que soit le nombre d'actions qu'il possède, sur simple justification de son identité et, également, de la propriété de ses titres sous la forme et dans le délai mentionnés dans la convocation sans, toutefois, que ce délai puisse excéder cinq jours francs avant la réunion de l'assemblée.

Tout actionnaire ne peut se faire représenter que par son conjoint ou par un autre actionnaire. A cet effet, le mandataire doit justifier de son mandat.

Les représentants légaux d'actionnaires juridiquement incapables et les personnes physiques représentant des personnes morales actionnaires prennent part aux assemblées, qu'ils soient ou non personnellement actionnaires.

Tout actionnaire peut voter par correspondance au moyen d'un formulaire établi et adressé à la société dans les conditions fixées par la loi.

Article 28 – FEUILLE DE PRÉSENCE – BUREAU – PROCÈS-VERBAUX

A chaque assemblée est tenue une feuille de présence contenant les indications prescrites par la loi.

Cette feuille de présence, dûment émargée par les actionnaires présents et les mandataires et à laquelle sont annexés les pouvoirs donnés à chaque mandataire et, le cas échéant, les formulaires de vote par correspondance, est certifiée exacte par le bureau de l'assemblée.

Les assemblées sont présidées par le président du conseil d'administration ou, en son absence, par un vice-président ou par un administrateur spécialement délégué à cet effet par le conseil.

Si l'assemblée est convoquée par le ou les commissaires aux comptes, l'assemblée est présidée par l'un d'eux.

Dans tous les cas, à défaut de la personne habilitée ou désignée pour présider l'assemblée, celle-ci élit son président.

Les fonctions de scrutateurs sont remplies par les deux actionnaires présents et acceptants, disposant, tant par eux-mêmes que comme mandataires, du plus grand nombre de voix.

Le bureau ainsi composé désigne un secrétaire qui peut ne pas être actionnaire.

Les membres du bureau ont pour mission de vérifier, certifier et signer la feuille de présence, de veiller à la bonne tenue des débats, de régler les incidents de séance, de contrôler les votes émis et d'en assurer la régularité et de veiller à l'établissement du procès-verbal.

Les procès-verbaux sont dressés et les copies ou extraits des délibérations sont délivrés et certifiés conformément à la loi.

Article 29 – QUORUM – VOTE – NOMBRE DE VOIX

Dans les assemblées générales ordinaires et extraordinaires, le quorum est calculé sur l'ensemble des actions composant le capital social et, dans les assemblées spéciales, sur l'ensemble des actions de la catégorie intéressée, déduction faite des actions privées du droit de vote en vertu des dispositions de la loi.

En cas de vote par correspondance, il n'est tenu compte pour le calcul du quorum que des formulaires reçus par la société avant la réunion de l'assemblée, dans les conditions et délais fixés par décret.

Le droit de vote attaché aux actions est proportionnel au capital qu'elles représentent. A égalité de valeur nominale, chaque action de capital ou de jouissance donne droit à une voix.

Au cas où des actions sont nanties, le droit de vote continue d'être exercé par le propriétaire des titres.

La société émettrice ne peut valablement voter avec des actions par elle souscrites, ou acquises ou prises en gage. Il n'est pas tenu compte de ces actions pour le calcul du quorum.

Le vote a lieu et les suffrages sont exprimés, à main levée, ou par assis et levés, ou par appel nominal, selon ce que décide le bureau de l'assemblée.

Article 30 – ASSEMBLÉE GÉNÉRALE ORDINAIRE

L'assemblée générale ordinaire est celle qui est appelée à prendre toutes décisions qui ne modifient pas les statuts.

Elle est réunie au moins une fois l'an, dans les délais légaux et réglementaires en vigueur, pour statuer sur les comptes de l'exercice social précédent.

Elle a, entre autres pouvoirs, les suivants :
– approuver, modifier ou rejeter les comptes qui lui sont soumis;
– statuer sur la répartition et l'affectation des bénéfices en se conformant aux dispositions statutaires;
– donner ou refuser quitus de leur gestion aux administrateurs;
– nommer et révoquer les administrateurs et les commissaires aux comptes;
– approuver ou rejeter les nominations d'administrateurs faites à titre provisoire par le conseil d'administration;

– fixer le montant des jetons de présence alloués au conseil d'administration ;
– statuer sur le rapport spécial des commissaires aux comptes concernant les conventions soumises à l'autorisation préalable du conseil d'administration ;
– autoriser les émissions d'obligations non convertibles ni échangeables contre des actions, ainsi que la constitution des sûretés réelles qui pourraient leur être conférées.

L'assemblée générale ordinaire ne délibère valablement, sur première convocation, que si les actionnaires présents, représentés ou ayant voté par correspondance, possèdent au moins le quart des actions ayant le droit de vote.

Sur deuxième convocation, aucun quorum n'est requis.

Elle statue à la majorité des voix dont disposent les actionnaires présents ou représentés, y compris les actionnaires ayant voté par correspondance.

Article 31 – ASSEMBLÉE GÉNÉRALE EXTRAORDINAIRE

L'assemblée générale extraordinaire est seule habilitée à modifier les statuts dans toutes leurs dispositions. Elle ne peut, toutefois, augmenter les engagements des actionnaires, sous réserve des opérations résultant d'un échange ou d'un regroupement d'actions régulièrement décidé et effectué.

L'assemblée générale extraordinaire ne délibère valablement que si les actionnaires présents, représentés ou ayant voté par correspondance possèdent au moins, sur première convocation, la moitié et, sur deuxième convocation, le quart des actions ayant le droit de vote. A défaut de ce dernier quorum, la deuxième assemblée peut être prorogée à une date postérieure de deux mois au plus à celle à laquelle elle avait été convoquée.

Elle statue à la majorité des deux tiers des voix dont disposent les actionnaires présents ou représentés, y compris les actionnaires ayant voté par correspondance.

Par dérogation légale aux dispositions qui précèdent, l'assemblée générale qui décide une augmentation de capital par voie d'incorporation de réserves, bénéfices ou primes d'émission, peut statuer aux conditions de quorum et de majorité d'une assemblée générale ordinaire.

En outre, dans les assemblées générales extraordinaires appelées à délibérer sur l'approbation d'un apport en nature ou l'octroi d'un avantage particulier, l'apporteur ou le bénéficiaire, dont les actions sont privées de droit de vote, n'a voix délibérative, ni pour lui-même ni comme mandataire.

S'il existe plusieurs catégories d'actions, aucune modification ne peut être faite aux droits des actions d'une de ces catégories, sans vote conforme d'une assemblée générale extraordinaire ouverte à tous les actionnaires et, en outre, sans vote également conforme d'une assemblée générale ouverte aux seuls propriétaires des actions de la catégorie intéressée.

Article 32 – DROIT DE COMMUNICATION DES ACTIONNAIRES

Tout actionnaire a le droit d'obtenir communication des documents nécessaires pour lui permettre de se prononcer en connaissance de cause et de porter un jugement informé sur la gestion et la marche de la société.

La nature de ces documents et les conditions de leur envoi ou mise à disposition sont déterminées par la loi.

Article 33 – EXERCICE SOCIAL

L'exercice social commence le ... et finit le ...

Par exception, le premier exercice social comprendra le temps à courir à compter de la date d'immatriculation de la société au Registre du commerce et des sociétés jusqu'au ...

Article 34 – INVENTAIRE – COMPTES ANNUELS

Il est tenu une comptabilité régulière des opérations sociales conformément à la loi.

A la clôture de chaque exercice, le conseil d'administration dresse l'inventaire des divers éléments de l'actif et du passif existant à cette date.

Il dresse également le bilan décrivant les éléments actifs et passifs et faisant apparaître de façon distincte les capitaux propres, le compte de résultats récapitulant les produits et les charges de l'exercice, ainsi que l'annexe complétant et commentant l'information donnée par le bilan et le compte de résultats.

Il est procédé, même en cas d'absence ou d'insuffisance du bénéfice, aux amortissements et provisions nécessaires. Le montant des engagements cautionnés, avalisés ou garantis par la société est mentionné à la suite du bilan.

Le conseil d'administration établit le rapport de gestion sur la situation de la société durant l'exercice écoulé, son évolution prévisible, les événements importants survenus entre la date de clôture de l'exercice et la date à laquelle il est établi, ses activités en matière de recherche et de développement.

Article 35 – FIXATION – AFFECTATION ET RÉPARTITION DES BÉNÉFICES

Le compte de résultats qui récapitule les produits et charges de l'exercice fait apparaître par différence, après déduction des amortissements et des provisions, le bénéfice de l'exercice.

Sur le bénéfice de l'exercice diminué, le cas échéant, des pertes antérieures, il est prélevé 5 % au moins pour constituer le fonds de réserve légal. Ce prélèvement cesse d'être obligatoire lorsque le fonds de réserve atteint le dixième du capital social; il reprend son cours lorsque, pour une raison quelconque, la réserve légale est descendue au-dessous de ce dixième.

Le bénéfice distribuable est constitué par le bénéfice de l'exercice diminué des pertes antérieures et des sommes portées en réserve en application de la loi et des statuts et augmenté du report bénéficiaire.

Ce bénéfice est réparti entre tous les actionnaires, proportionnellement au nombre d'actions appartenant à chacun d'eux.

Toutefois, après prélèvement des sommes portées en réserve, en application de la loi, l'assemblée générale peut prélever toutes sommes qu'elle juge à propos d'affecter à la dotation de tous fonds de réserve facultatifs, ordinaires ou extraordinaires, ou de reporter à nouveau.

Les dividendes sont prélevés par priorité sur les bénéfices de l'exercice. L'assemblée générale peut, en outre, décider la mise en distribution de sommes prélevées sur les réserves dont elle a la disposition, en indiquant expressément les postes de réserve sur lesquels les prélèvements sont effectués.

Hors le cas de réduction de capital, aucune distribution ne peut être faite aux actionnaires lorsque les capitaux propres sont ou deviendraient, à la suite de celle-ci, inférieurs au montant du capital augmenté, des réserves que la loi ou les statuts ne permettent pas de distribuer. L'écart de réévaluation n'est pas distribuable. Il peut être incorporé en tout ou en partie au capital.

Les pertes, s'il en existe, sont, après l'approbation des comptes par l'assemblée générale, reportées à nouveau pour être imputées sur les bénéfices des exercices ultérieurs jusqu'à extinction.

Article 36 - MISE EN PAIEMENT DES DIVIDENDES - ACOMPTES

L'assemblée générale a la faculté d'accorder à chaque actionnaire, pour tout ou partie du dividende mis en distribution, une option entre le paiement du dividende en actions dans les conditions légales ou en numéraire.

Les modalités de mise en paiement des dividendes en numéraire sont fixées par l'assemblée générale, ou, à défaut, par le conseil d'administration.

La mise en paiement des dividendes en numéraire doit avoir lieu dans un délai maximal de neuf mois après la clôture de l'exercice, sauf prolongation de ce délai par autorisation de justice.

Toutefois, lorsqu'un bilan établi au cours ou à la fin de l'exercice, et certifié par un commissaire aux comptes, fait apparaître que la société, depuis la clôture de l'exercice précédent, après constitution des amortissements et provisions nécessaires, et déduction faite, s'il y a lieu, des pertes antérieures ainsi que des sommes à porter en réserve, en application de la loi ou des statuts, a réalisé un bénéfice, il peut être distribué des acomptes sur dividende avant l'approbation des comptes de l'exercice. Le montant de ces acomptes ne peut excéder le montant du bénéfice ainsi défini.

Aucune répétition de dividende ne peut être exigée des actionnaires, sauf lorsque la distribution a été effectuée en violation des dispositions légales et que la société établit que les bénéficiaires avaient connaissance du caractère irrégulier de cette distribution au moment de celle-ci ou ne pouvaient l'ignorer compte tenu des circonstances. Le cas échéant, l'action en répétition est prescrite trois ans après la mise en paiement de ces dividendes.

Les dividendes non réclamés dans les cinq ans de leur mise en paiement sont prescrits.

Article 37 – CAPITAUX PROPRES INFÉRIEURS A LA MOITIÉ DU CAPITAL SOCIAL

Si du fait de pertes constatées dans les documents comptables, les capitaux propres de la société deviennent inférieurs à la moitié du capital social, le conseil d'administration est tenu, dans les quatre mois qui suivent l'approbation des comptes ayant fait apparaître ces pertes, de convoquer l'assemblée générale extraordinaire des actionnaires, à l'effet de décider s'il y a lieu à dissolution anticipée de la société.

Si la dissolution n'est pas prononcée, le capital doit être, dans le délai fixé par la loi et sous réserve des dispositions de l'article 8 ci-dessus, réduit d'un montant égal à celui des pertes constatées si, dans ce délai, les capitaux propres ne sont pas redevenus au moins égaux à la moitié du capital social.

Dans les deux cas, la décision de l'assemblée générale est publiée dans les conditions légales.

En cas d'inobservation des prescriptions de l'un ou plusieurs des alinéas qui précèdent, tout intéressé peut demander en justice la dissolution de la société. Il en est de même si les actionnaires n'ont pu délibérer valablement.

Toutefois, le tribunal ne peut prononcer la dissolution si, au jour où il statue sur le fond, la régularisation a eu lieu.

Article 38 – DISSOLUTION – LIQUIDATION

Hors les cas de dissolution judiciaire prévus par la loi, il y aura dissolution de la société à l'expiration du terme fixé par les statuts ou par décision de l'assemblée générale extraordinaire des actionnaires.

Un ou plusieurs liquidateurs sont alors nommés par cette assemblée générale extraordinaire, aux conditions de quorum et de majorité prévues pour les assemblées générales ordinaires.

Le liquidateur représente la société. Il est investi des pouvoirs les plus étendus pour réaliser l'actif, même à l'amiable. Il est habilité à payer les créanciers et à répartir le solde disponible.

L'assemblée générale des actionnaires peut l'autoriser à continuer les affaires en cours ou à en engager de nouvelles pour les besoins de la liquidation.

Le partage de l'actif net subsistant après remboursement du nominal des actions est effectué entre les actionnaires dans les mêmes proportions que leur participation au capital.

Article 39 – CONTESTATION

Toutes les contestations qui pourraient s'élever pendant la durée de la société ou de sa liquidation, soit entre les actionnaires, les administrateurs et la société, soit entre les actionnaires eux-mêmes, relativement aux affaires sociales, seront jugées conformément à la loi et soumises à la juridiction des tribunaux compétents.

Article 40 – ADMINISTRATION

Sont nommés comme premiers administrateurs, pour une durée de trois années, qui se terminera à l'issue de la réunion de l'assemblée générale ordinaire annuelle tenue en ... et appelée à statuer sur les comptes de l'exercice social écoulé :

– M. ...
de nationalité ...
né le ... à ...
demeurant ...

– M. ...
de nationalité ...
né le ... à ...
demeurant ...

– M. ...
de nationalité ...
né le ... à ...
demeurant ...

tous ci-dessus nommés et qualifiés.

Les administrateurs ainsi désignés déclarent, chacun en ce qui le concerne, qu'ils acceptent les fonctions qui viennent de leur être confiées et qu'il n'existe de leur chef aucune incompatibilité ni aucune interdiction pouvant faire obstacle à leur nomination.

Article 41 – NOMINATION DU COMMISSAIRE AUX COMPTES

Sont désignés, pour une durée de six exercices, soit jusqu'à l'assemblée générale ordinaire qui sera appelée à statuer sur les comptes de l'exercice clos le ... :

aux fonctions de commissaire aux comptes titulaire :

– M. ...
de nationalité ...
né le ... à ...
demeurant ...

aux fonctions de commissaire aux comptes suppléant :
– M. ...
de nationalité ...
né le ... à ...
demeurant ...

lesquels, préalablement pressentis, ont déclaré chacun en ce qui le concerne, accepter les fonctions qui viennent de leur être confiées et qu'il n'existe de leur chef aucune incompatibilité ni aucune interdiction susceptibles d'empêcher leur nomination.

Article 42 – ACTES ACCOMPLIS POUR LE COMPTE DE LA SOCIÉTÉ EN FORMATION

Conformément à la loi, la société ne jouira de la personnalité morale qu'à dater de son immatriculation au Registre du commerce et des sociétés.

En attendant l'accomplissement de la formalité d'immatriculation au Registre du commerce et des sociétés, les actionnaires soussignés donnent mandat exprès à Messieurs ... et ..., avec faculté d'agir ensemble ou séparément, à l'effet :
– d'ouvrir tout compte bancaire ou postal;
– ...;
– d'accomplir les démarches administratives et la prospection nécessaires à la constitution et à la mise en route de l'activité sociale;
– de passer et de souscrire, pour le compte de la société en formation, les actes et engagements entrant dans l'objet statutaire et conformes à l'intérêt social, à l'exclusion de ceux pour lesquels il est requis une autorisation préalable des actionnaires.

Ces actes et engagements seront repris par la société du seul fait de son immatriculation au Registre du commerce et des sociétés.

Article 43 – POUVOIRS

Tous pouvoirs sont donnés au président du conseil d'administration pour procéder aux formalités de constitution de la société et, notamment, pour remplir les formalités de publicité prescrites par la loi.

Article 44 – FRAIS

Les frais, droits et honoraires des présentes et de leurs suites seront supportés par la société et portés comme frais de premier établissement pour être amortis avant toute distribution de bénéfices.

Fait à
En ... exemplaires
L'an mil neuf cent quatre-vingt ...
Et le ...

(Modèle aimablement communiqué par Maître Bernard Monnassier, notaire à Paris.)

Modèle 15

Procès-verbal de la première délibération du conseil d'administration de la société anonyme désignant le président du conseil d'administration

Dans une société anonyme, les premiers administrateurs sont obligatoirement nommés dans les statuts par l'assemblée des actionnaires.

En revanche, le président du conseil d'administration doit être nommé par les administrateurs. Il ne peut être président que s'il a la qualité d'administrateur.

Juste après la signature des statuts, le conseil d'administration se réunit pour désigner son président.

Les organismes divers et les tiers vont réclamer le procès-verbal de nomination du président. Par souci de discrétion, il est préférable de ne pas faire la désignation du président et la fixation de sa rémunération dans la même délibération.

Un registre des présences doit être signé à chaque réunion du conseil.

Société anonyme ... *(nom)*
Siège social ...

L'an mil neuf cent quatre-vingt-dix-sept,
et le ... *(date, par exemple : 10 octobre)* à .... heures,
les administrateurs de la société ... *(dénomination)*, société anonyme au capital de ... F, se sont réunis pour la première fois en conseil, au siège social : 183, rue des Joliettes 94120 FONTENAY-SOUS-BOIS *(adresse)*.

Sont présents *(nom des administrateurs)* :
- Monsieur Stéphane LEBOIS, demeurant 88, rue de l'Espérance 75011 PARIS
propriétaire de ... actions
numérotées de ... à ...
- Monsieur Patrick DELY, demeurant 10, rue des Mimosas 92100 BOULOGNE
propriétaire de ... actions
numérotées de ... à ...
- Monsieur Nicolas BEAU, demeurant 28, rue des Rosiers 93600 MONTREUIL
propriétaire de ... actions
numérotées de ... à ...

Soit le total des actions composant le capital ... actions.

Tous les administrateurs étant présents et ayant émargé le registre de présence en entrant en séance, le conseil peut valablement délibérer sur l'ordre du jour unique suivant :
- désignation du président du conseil d'administration.

Résolution unique
A l'unanimité, les administrateurs désignent Monsieur Nicolas BEAU *(nom et prénom du président désigné)* au titre de président du conseil d'administration, pour la durée de son mandat d'administrateur.
Plus rien n'étant à l'ordre du jour, et plus personne ne demandant la parole, la séance est levée à ... heures.
De tout ce qui précède, il a été dressé le présent procès-verbal qui, lecture faite, a été signé par les administrateurs.

Signature des
administrateurs

Modèle 16

Procès-verbal de fixation de la rémunération du président par le conseil d'administration

La rémunération est librement fixée par le conseil. Mais il est judicieux de ne pas fixer une rémunération trop élevée étant donné le poids des cotisations sociales.

Il est préférable d'avoir une rémunération modeste (juste suffisante pour avoir les avantages de la Sécurité sociale) et d'encaisser le reste sous forme de distribution de dividendes.

Société anonyme ... *(nom)*
Siège social ...

Délibération du conseil d'administration du ... *(date)*

Procès-verbal
L'an mil neuf cent quatre-vingt-dix-sept,
et le ... *(date, par exemple : 12 octobre)* à .... heures,
les administrateurs de la société ... *(nom)*, société anonyme au capital de ... F, se sont réunis sur convocation de leur président au siège social : 183, rue des Joliettes 94120 FONTENAY-SOUS-BOIS *(adresse)*.

Sont présents *(nom des administrateurs)* :
– Monsieur Stéphane LEBOIS, demeurant 88, rue de l'Espérance 75011 PARIS
propriétaire de ... actions
numérotées de ... à ...

– Monsieur Patrick DELY, demeurant 10, rue des Mimosas 92100 BOULOGNE
propriétaire de ... actions
numérotées de ... à ...
– Monsieur Nicolas BEAU, demeurant 28, rue des Rosiers 93600 MONTREUIL
propriétaire de ... actions
numérotées de ... à ...

Soit le total des actions composant le capital ... actions.

Tous les administrateurs étant présents et ayant émargé le registre de présence en entrant en séance, le conseil peut valablement délibérer sur l'ordre du jour unique suivant :
– fixation de la rémunération du président du conseil d'administration.

Résolution unique
A l'unanimité, les administrateurs décident de fixer la rémunération du président du conseil d'administration à ... F, bruts par mois, augmentée d'une prime annuelle égale à 2 % du montant du bénéfice annuel.

Plus rien n'étant à l'ordre du jour, et plus personne ne demandant la parole, la séance est levée à ... heures.

De tout ce qui précède, il a été dressé le présent procès-verbal qui, lecture faite, a été signé par les administrateurs.

Signature des
administrateurs

Modèle 17

Lettre à un commissaire aux comptes l'informant de sa désignation

Dans une société anonyme, la désignation d'un commissaire aux comptes est obligatoire. La première désignation se fait dans les statuts pour une durée de six ans. En plus du commissaire titulaire, il faut désigner un suppléant qui le remplacera s'il ne peut plus exercer ses fonctions.

Le choix du commissaire aux comptes est libre.

– Pouvoir pour effectuer les formalités d'immatriculation, voir page 101, modèle 11.

Madame ... *(nom et prénom)*
Commissaire aux comptes
Adresse

Date

Madame,

J'ai l'honneur de vous informer qu'aux termes des statuts sous seings privés signés le ... *(date)*, vous avez été désignée en qualité de commissaire aux comptes de la société ... *(nom)* pour une durée de six ans.
Monsieur ... *(nom et prénom)* a été désigné pour être votre suppléant.

Vous voudrez bien trouver copie des statuts comportant votre désignation à ces fonctions.

Je reste à votre disposition pour envisager avec vous les modalités d'exécution de votre mission.

Dans cette attente, je vous prie d'agréer, Madame, l'expression de ma considération distinguée.

Roger JANVIER
Président du conseil
d'administration

Modèle 18

Modèle d'annonce légale de constitution de SA et désignation des premiers administrateurs ainsi que du commissaire aux comptes

La désignation du commissaire aux comptes et de son suppléant doit être annoncée dans un journal d'annonces légales du département où se trouve le siège social.

Par souci d'économies, on peut publier une seule annonce indiquant la constitution de la SA ainsi que la désignation des premiers administrateurs et du commissaire aux comptes.

– Déclaration d'existence aux services fiscaux, voir page 104, modèle 13.
– Procès-verbal de reprise par l'assemblée générale des actes accomplis avant la rédaction des statuts, voir page 93.
– Pouvoir pour effectuer les formalités d'immatriculation, page 101, modèle 11.

Avis de constitution

Aux termes d'un acte sous seing privé en date du ..., il a été constitué une société dont les principales caractéristiques sont les suivantes :

Forme : société anonyme
Objet : la société a pour objet ... *(indiquez l'objet social, par exemple : importation de produits alimentaires)*
Dénomination sociale : ...
Siège social : ... *(adresse)*
Durée : 99 ans à compter de l'immatriculation au RCS.
Capital social : 250 000 F divisés en 2 500 actions de 100 F chacune.

Commissaires aux comptes : sont nommés
– titulaire : Fiduciaire JOUT, 47, rue de Paris 29000 Brest
– suppléant : Monsieur Charles DOR, 3, rue des Bornes 29000 Brest.

Administrateurs : ... *(indiquez nom, prénom et adresse de tous les administrateurs)*
– M. Alain LEBOS, demeurant ...
– M. Louis GALET, demeurant ...
– Mme Charlotte RAMIER, demeurant ...
Président du conseil d'administration : M. Louis GALET.

Immatriculation : au Registre du commerce et des sociétés de ... *(ville)*

Pour avis : le conseil d'administration.

III. LA SOCIÉTÉ EN NOM COLLECTIF

La société en nom collectif (SNC) est une société de personnes. Elle convient pour des petits projets envisagés par des associés ne possédant pas les 50 000 F nécessaires à la création d'une SARL.

A. SPÉCIFICITÉS DE LA SNC

La SNC présente un inconvénient majeur : en tant qu'associé, vous êtes indéfiniment et solidairement responsables des dettes sociales. Votre patrimoine personnel n'est pas isolé. En cas de liquidation, vos biens personnels sont utilisés pour payer les dettes de l'exploitation.

Après avoir fortement décliné, les créations de SNC sont de nouveau en nette progression pour des raisons fiscales. Cet avantage explique que certaines très grosses sociétés (notamment dans le secteur immobilier) sont constituées sous la forme de SNC.

En effet, les déficits de la SNC « remontent » chez les associés. Autrement dit, un associé peut déduire de ses autres revenus (des salaires de son épouse, de ses revenus fonciers, de ses revenus mobiliers...) sa quote-part de déficit réalisé par la SNC.

Tel ce contribuable, qui – en toute légalité – n'a pas payé un centime d'impôt sur le revenu depuis cinq ans, grâce aux déficits accumulés dans une SNC.

• ***Capital***

Puisque le patrimoine personnel des associés sert de garantie aux créanciers, la loi n'a pas jugé utile de prévoir un capital minimal pour créer une SNC.

On peut donc créer une SNC avec, par exemple, un capital de 1 000, 2 000, 5 000, 10 000 F...

• ***Capacité de faire le commerce***

Alors que pour une SARL ou une SA aucune condition particulière n'est requise, pour une SNC, tous les associés doivent avoir la capacité d'être commerçant, c'est-à-dire qu'ils ne doivent pas être frappés d'une interdiction de faire le commerce. Ainsi, un mineur même émancipé ne peut pas faire partie d'une SNC. Et un étranger ne peut participer à une SNC que s'il possède une carte de commerçant étranger.

Enfin, comme pour la SARL, il faut au minimum deux associés pour constituer une SNC. Deux époux peuvent (seuls ou avec des tiers) créer une SNC, quel que soit leur régime matrimonial.

• ***Gestion de la SNC***

La SNC est administrée par un ou plusieurs gérants élus par l'assemblée des associés.

Il est plus difficile de révoquer un gérant désigné dans les statuts. En effet, pour révoquer un gérant statutaire, il faut l'unanimité des associés. Alors que s'il a été nommé en dehors des statuts, la majorité des voix des associés suffit pour le révoquer.

B. FORMALITÉS DE CRÉATION DE LA SNC

Les étapes pour créer une SNC sont les mêmes que pour la création d'une SARL. Il suffit de se reporter aux chapitres page 50 et suivantes.

Lettre à l'INPI pour recherche d'antériorité d'une dénomination ou d'une marque, voir page 58.

Lettre d'avertissement au conjoint d'un associé marié sous le régime de la communauté de biens, voir page 60.

Attestation de renonciation du conjoint d'un associé, voir page 62.

Lettre au propriétaire pour domiciliation provisoire de la société, voir pages 63.

Modèle de statuts, voir page 67.

Procès-verbal de nomination du premier gérant hors statuts, voir page 95.

Procès-verbal constatant la signature des statuts et la nomination du gérant, voir page 95.

Courrier pour demander au journal d'insérer l'annonce légale, voir page 99.

Annonce légale de constitution, voir page 100.

Pouvoir pour effectuer les formalités d'immatriculation, voir page 101.

Lettre au receveur des impôts pour lui demander d'enregistrer les statuts, voir page 102.

Déclaration d'existence aux services fiscaux, voir page 103.

Lettre à l'assureur pour l'avertir que le domicile du gérant sert de siège social, voir page 66.

Tenez vous-même votre secrétariat des sociétés

De nombreux chefs d'entreprise pensent qu'ils doivent recourir à un professionnel du droit pour tenir leurs livres d'assemblée, rédaction des procès-verbaux (ce que la pratique nomme « le secrétariat des sociétés »). Or, rien n'est plus faux.

Vous pouvez assurer vous-même ce formalisme du droit des sociétés, en vous aidant de nos différents modèles.

N'oubliez pas que tous les procès-verbaux des délibérations (nomination du gérant, assemblées générales ordinaires ou extraordinaires, approbation annuelle des comptes, délibération du conseil d'administration...) doivent être reportés sur un livre d'assemblée (vendu dans les librairies spécialisées) qui doit être coté et paraphé (environ 13 F pour cette petite formalité) par le greffe du tribunal de commerce et être toujours à jour.

Enfin, si vous décidez malgré tout de faire tenir votre « secrétariat des sociétés » par un professionnel extérieur, veillez à avoir vos livres d'assemblée dans vos locaux. Ils peuvent vous être réclamés en cas de contrôle fiscal notamment.

Certains professionnels du droit exigent de conserver les livres de la société en permanence : cette pratique est malsaine. En cas d'incendie ou de décès du professionnel, vous seriez privé des livres qui, ne l'oubliez pas, appartiennent à votre société.

C. MODÈLES D'ACTES POUR CRÉER VOTRE SNC

– Lettre à l'I.N.P.I. pour recherche d'antériorité d'une dénomination ou d'une marque, voir page 58.
– Lettre d'avertissement au conjoint d'un associé marié sous le régime de la communauté de biens, voir page 60, modèle 2.
– Attestation de renonciation du conjoint de l'associé, voir page 62, modèle 3.
– Lettre au propriétaire du logement pour domiciliation provisoire de la société, voir page 63, modèle 4.
– Lettre au syndic de l'immeuble pour domiciliation provisoire de la société, voir page 65, modèle 5.
– Modèle de statuts, voir page 67, modèle 7.
– Procès verbal de nomination du premier gérant hors statuts, voir page 95, modèle 8.
– Procès-verbal de fixation de la rémunération du premier gérant, voir page 97.
– Annonce légale de constitution, voir page 100, modèle 10.
– Pouvoir pour effectuer les formalités d'immatriculation, voir page 101, modèle 11.
– Lettre au receveur des impôts pour lui demander d'enregistrer les statuts, voir page 102.
– Déclaration d'existence aux services fiscaux, voir page 103.
– Lettre à l'assureur pour l'informer que le logement du gérant sert de siège social, voir page 66, modèle 6.

IV. LA SOCIÉTÉ CIVILE IMMOBILIÈRE

Il existe différentes formes de sociétés civiles. La plus utilisée étant la société civile immobilière (SCI) de gestion. Elle n'est pas prévue pour exercer une activité mais pour acquérir et détenir un patrimoine immobilier. Il peut s'agir de biens immobiliers destinés à la location ou à l'usage personnel des associés.

La SCI est également très présente dans le domaine des affaires.

L'immobilier (bureaux, entrepôts, locaux commerciaux...) peut ainsi être inscrit au bilan de la société commerciale ou isolé au sein d'une SCI.

On peut faire un montage qui comprend : une SARL (ou toute autre forme de société commerciale) qui se charge de l'exploitation de l'activité commerciale et une SCI qui détient les biens immobiliers qu'elle loue à la SARL.

A. SPÉCIFICITÉS DE LA SCI

Puisqu'elle a un objet civil, la SCI est soumise aux règles du Code civil et ne doit pas exercer le commerce.

C'est une société très simple à créer et son fonctionnement est vraiment léger.

Il suffit de deux associés pour créer une SCI. Des époux peuvent seuls, ou avec leurs enfants ou encore avec d'autres personnes, créer une SCI.

• ***Capital***

Comme les associés sont indéfiniment et solidairement responsables des dettes de la SCI, la loi n'a pas exigé de capital minimal.

En théorie, on peut créer une SCI avec un capital de 10 F mais ce montant n'étant pas facile à diviser, le plus souvent on retient un capital de 1 000 F.

• ***Gestion de la SCI***

Une SCI doit avoir un(e) gérant(e), même si elle n'est pas active. Ce qui est le cas de la plupart des SCI de famille qui détiennent un patrimoine immobilier familial.

Le gérant est souvent l'un des associés. En famille, on peut organiser une gérance « tournante » pour éviter des conflits.

Exemple : vous avez constitué une SCI avec votre fille et votre fils. Celui-ci peut être nommé gérant pour trois ans (ou moins ou plus, il n'y a pas de règle) ; à l'issue de cette période, votre fille est nommée gérante pour une même période et ainsi de suite.

Mais on peut aussi nommer un gérant sans précision de durée. Là encore, il est préférable de le nommer hors statuts.

• ***Immatriculation au RCS***

Pour immatriculer une société commerciale, il est nécessaire de passer par un CFE. En revanche, l'immatriculation de la SCI se fait directement auprès du greffe du tribunal de commerce du lieu où se trouve le siège social de la SCI.

Les étapes (par exemple : annonce légale dans un journal) et les pièces à fournir sont identiques à celles exigées pour les autres formes de sociétés (voir le tableau des formalités page 56).

B. MODÈLES D'ACTES POUR CONSTITUER VOTRE S.C.I.

Ce modèle de statuts peut être utilisé pour créer n'importe quelle forme de société civile : société civile immobilière, société civile de valeurs mobilières... Vous pouvez fixer le siège social au domicile de l'un des associés, utiliser une domiciliation auprès d'une société spécialisée ou des locaux propres à la société.

Si des biens immobiliers (logements, bureaux, usine...) sont apportés à la société, le recours au notaire est obligatoire.

De même, si vous créez votre société avec des fonds en « emploi » ou « remploi » (de l'argent qui ne fait pas partie de la communauté), il faut demander à un notaire de rédiger les statuts de la société afin qu'il puisse inclure dans les statuts une clause d'emploi ou de remploi (voir page 43).

Le capital est divisé en parts sociales dont vous fixez librement la valeur. S'il est faible, fixez la valeur des parts à 10 F (ce qui rend plus facile la division d'un petit capital) et, s'il est plus important, fixez la valeur d'une part à 50 F, voire 100 F. Exemple : capital de 1 500 F, on peut fixer la valeur des parts à 10 F, ce qui donne 150 parts sociales à 10 F. Il faut écrire le mot « statuts » au début du document.

– Lettre à l'I.N.P.I. pour recherche d'antériorité d'une dénomination ou d'une marque, voir page 58.
– Lettre au propriétaire pour domiciliation provisoire de la société, voir page 63.
– Lettre au syndic de l'immeuble pour domiciliation provisoire de la société, voir page 65.

Modèle 19

STATUTS DE LA SCI

STATUTS

Société civile immobilière (SCI) Sabrina *(dénomination de votre SCI)*
Capital social : mille cinq cents francs (1 500 F)
Siège social : 12, avenue Léon-Blum 93800 ÉPINAY-SUR-SEINE

Les soussignés : ... *(indiquez les nom et adresse personnelle de chaque associé)*
- Monsieur Patrick MOULET, demeurant 15, rue de l'Espérance 67000 Strasbourg
- Madame Florence GENTEL, demeurant 12, rue des Coquelicots 81200 MAZAMET
- Madame Diane FLEURY, demeurant 3, rue des Vignes 81200 MAZAMET

ONT ÉTABLI LES STATUTS D'UNE SOCIÉTÉ CIVILE IMMOBILIERE QU'ILS ONT DÉCIDÉ DE CONSTITUER.

Article 1 – FORME
Il est formé entre les propriétaires des parts ci-après et de celles qui pourront l'être ultérieurement, une société civile immobilière régie par les articles 1832 à 1870-1 du Code civil et par les articles 1 à 59 du décret n° 78-704 du 3 juillet 1978, par toutes dispositions légales ou régle-

mentaires qui modifieraient ces textes et par les présents statuts.

Article 2 – OBJET
La société a pour objet :
– l'acquisition, l'administration et la gestion par location ou autrement de tous immeubles et biens immobiliers;
– toutes opérations financières, mobilières ou immobilières se rattachant directement ou indirectement à cet objet et susceptibles d'en favoriser la réalisation, à condition toutefois d'en respecter le caractère civil.

Article 3 – DÉNOMINATION SOCIALE
La société prend la dénomination de ... *(par exemple : société civile immobilière Sabrina).*

Article 4 – Durée
La durée de la société est fixée à ... *(maximum quatre-vingt-dix-neuf années)* à compter de son immatriculation au Registre du commerce et des sociétés, sauf cas de prorogation ou de dissolution anticipée.

Article 5 – SIEGE SOCIAL
Le siège est fixé 12, avenue Léon-Blum 93800 ÉPINAY-SUR-SEINE.
Il peut être transféré en tout autre endroit du même département par simple décision de la gérance, sous réserve d'une ratification par la plus prochaine assemblée générale ordinaire des associés, et en tout autre lieu par décision collective extraordinaire des associés.

Article 6 – APPORTS
Les associés font apport à la société, savoir :
– Monsieur Patrick MOULET, la somme de cinq cents francs (500 F)

– Madame Florence GENTEL, la somme de cinq cents francs (500 F)
– Madame Diane FLEURY, la somme de cinq cents francs (500 F)

TOTAL mille cinq cents francs (1 500 F)

Ces sommes ont été immédiatement versées à un compte ouvert au nom de la société en formation auprès de la banque.

Article 7 – CAPITAL SOCIAL
Le capital social est fixé à la somme de ... *(par exemple : mille cinq cents francs)*, montant divisé en ... parts sociales *(par exemple : 150 parts sociales)* numérotées de 1 à 150, attribuées aux associés en représentation de leurs apports respectifs, savoir :
– Monsieur Patrick MOULET à concurrence de ... *(par exemple : 50 parts, numérotées de 1 à 50)* en rémunération de son apport;
– Madame Florence GENTEL, à concurrence de ... *(par exemple : 50 parts, numérotées de 51 à 100)* en rémunération de son apport;
– Madame Diane FLEURY, à concurrence de ... *(par exemple : 50 parts numérotées de 101 à 150)* en rémunération de son apport.

TOTAL 150 parts

Article 8 – PARTS SOCIALES
– Il ne sera créé aucun titre de parts sociales. Les droits de chaque associé résultent uniquement des présents statuts et des actes modifiant le capital social ou constatant des cessions de parts régulièrement consenties. Une copie ou un extrait desdits actes, certifié par la gérance, pourra être délivré à chacun des associés sur sa demande et à ses frais.

– Chaque part sociale donne droit, dans la propriété de l'actif social et dans la répartition des bénéfices, à une fraction proportionnelle au nombre de parts sociales existantes.
– Les parts sociales sont indivisibles à l'égard de la société. Les copropriétaires indivis d'une part sociale sont tenus de se faire représenter auprès de la société par un seul d'entre eux, ou par un mandataire commun pris parmi les autres associés. Sauf convention contraire signifiée à la société, l'usufruitier représente le nu-propriétaire.
– Les droits et obligations attachés à chaque part la suivent dans quelque main qu'elle passe. La propriété d'une part emporte, de plein droit, adhésion aux statuts et aux décisions de l'assemblée générale.

Article 9 – CESSION DES PARTS SOCIALES
– La cession des parts sociales doit être constatée par un écrit.
Toute cession doit, conformément aux dispositions de l'article 1690 du Code civil, être signifiée à la société. La cession n'est opposable aux tiers qu'après accomplissement de cette formalité et dépôt au Registre du commerce et des sociétés de deux originaux de l'acte de cession.
– Les parts sociales sont librement cessibles entre associés et au profit du conjoint, des ascendants ou descendants du cédant.
– Elles ne peuvent être cédées à d'autres personnes qu'avec le consentement à l'unanimité des associés, à peine de nullité des cessions consenties en contravention de cette disposition.
La disposition qui précède est applicable à tous les cas de cession à titre onéreux, même à celles qui auraient lieu par adjudication publique en vertu d'une ordonnance de justice, ainsi qu'à toutes cessions entre vifs à titre gratuit.

– De même, les parts sociales détenues par un associé ne pourront être nanties ou données en gage, au profit d'un tiers quelconque, ou même d'un autre associé, qu'avec le consentement préalable de l'unanimité des associés.

Lors de la réalisation forcée des parts nanties, l'adjudication de ces parts ne sera pas soumise à l'agrément de l'unanimité des associés dès lors que tous les associés auront consenti au nantissement.
Si le nantissement n'a pas obtenu le consentement de l'unanimité des associés, l'adjudication sera soumise à l'agrément prévu au paragraphe 3 du présent article.

Article 10 – RESPONSABILITÉ

– Dans ses rapports avec ses co-associés, chacun des associés n'est tenu des dettes et engagements sociaux que dans la proportion du nombre de parts qu'il possède.
– Vis-à-vis des tiers, les associés sont tenus du passif social sur tous leurs biens à proportion de leurs droits sociaux.
Les créanciers de la société ne peuvent poursuivre le paiement des dettes sociales contre un associé qu'après mise en demeure à ladite société et restée infructueuse.

Article 11 – DÉCES – INVALIDITÉ – RETRAIT D'UN ASSOCIÉ

La société n'est pas dissoute par le décès d'un ou de plusieurs associés, gérants ou non, et continue avec les survivants, les héritiers et les représentants de l'associé ou des associés décédés.
De même, l'absence, l'incapacité civile, la déconfiture, la liquidation, le redressement judiciaire ou la faillite personnelle de l'un ou de plusieurs de ses associés ne met pas fin à la société et, à moins que l'assemblée générale n'en prononce la dissolution, celle-ci continue

entre les associés, à charge par eux de rembourser à l'associé absent, frappé d'incapacité ou en état de liquidation ou de redressement judiciaire ou de faillite personnelle ou à son représentant légal ou judiciaire, soit par voie de réduction de capital, soit par voie de rachat, au choix des associés demeurés en société, de la manière et dans les conditions et proportions entre eux, qu'ils jugeront convenables, le montant des parts qu'il pourrait alors posséder d'après leur valeur au jour de l'ouverture du droit de rachat déterminée dans les conditions prévues par l'article 1843-4 du Code civil.
Le montant du remboursement sera payable dans les trois mois du rapport de l'expert chargé de déterminer cette valeur et productif d'intérêts au taux légal à compter du jour de l'événement ayant donné lieu au droit de rachat.
Les héritiers ainsi que tous les autres représentants des associés absents, décédés ou frappés d'incapacité civile, ne peuvent, soit en cours de la société, soit au cours des opérations de liquidation, faire apposer les scellés sur les biens de la société, en demander la licitation ou le partage, ni s'immiscer en aucune manière dans son administration. Ils doivent, pour l'exercice de leurs droits, s'en rapporter exclusivement aux comptes annuels et aux décisions de l'assemblée générale des associés statuants dans les conditions prévues à l'article 17.
La même interdiction s'applique aux créanciers personnels des associés.
Le retrait total ou partiel d'un associé doit être autorisé à l'unanimité de ses co-associés ou par décision de justice pour justes motifs.
L'associé qui se retire n'a droit qu'au remboursement de la valeur de ses parts sociales déterminée, à défaut d'accord amiable, conformément aux dispositions de l'article 1843-4 du Code civil.

Article 12 – RÉUNION DE TOUTES LES PARTS SOCIALES EN UNE SEULE MAIN

– L'appartenance de l'usufruit de toutes les parts sociales à une même personne est sans conséquence sur l'existence de la société.

– La réunion de toutes les parts sociales en une seule main n'entraîne pas la dissolution immédiate de la société.

Toutefois, à défaut de régularisation de la situation dans le délai d'un an, tout intéressé peut demander la dissolution judiciaire de la société.

– La dissolution de la société devenue unipersonnelle entraîne, dans les conditions prévues par la loi, la transmission universelle du patrimoine de la société à l'associé unique, sans qu'il y ait lieu à liquidation.

Article 13 – GÉRANCE

– La société est gérée et administrée par un ou plusieurs gérants pris parmi les associés ou en dehors d'eux, nommés par décision des associés réunis en assemblée générale ordinaire.

– Le premier gérant sera nommé par décision ordinaire des associés, aussitôt après la signature des présentes.

La gérance dispose des pouvoirs les plus étendus pour la gestion des biens et affaires de la société et pour faire et autoriser tous les actes et opérations relatifs à son objet. En cas de pluralité de gérants, ceux-ci exercent séparément ces pouvoirs, sauf le droit qui appartient à chacun de s'opposer à une opération avant qu'elle ne soit conclue.

Article 14 – DÉCISION COLLECTIVE DES ASSOCIÉS

Les décisions excédant les pouvoirs de la gérance sont prises par les associés et résultent au choix de la gérance, soit d'une assemblée générale, soit d'une consultation écrite des associés.

En outre, les associés peuvent toujours, d'un commun accord, prendre les décisions collectives à l'unanimité par acte sous seing privé.

Article 15 – ASSEMBLÉES GÉNÉRALES

L'assemblée générale représente l'universalité des associés, les décisions prises par elle obligent tous les associés, même les absents, incapables ou dissidents.
Les délibérations de l'assemblée générale sont constatées par des procès-verbaux et signés par le gérant et, le cas échéant, par le président de séance. S'il n'est pas établi de feuille de présence, les procès-verbaux sont, en outre, signés par tous les associés présents et par les mandataires.

Article 16 – CONSULTATION PAR CORRESPONDANCE

Si elle le juge utile, la gérance peut consulter les associés par correspondance.
Dans ce cas, elle doit adresser à chaque associé, par lettre recommandée, le texte des résolutions proposées, accompagné s'il y a lieu de tous renseignements et explications utiles.
Les associés disposent d'un délai de quinze jours à compter de la date de réception de cette lettre pour émettre leur vote par écrit. Cette réponse est adressée au siège social par lettre recommandée. Tout associé n'ayant pas répondu dans le délai ci-dessus fixé est considéré comme s'étant abstenu.
Le procès-verbal de la consultation est établi par la gérance qui y annexe les votes des associés.
Les décisions prises par consultation écrite doivent, pour être valables, réunir les conditions de quorum et de majorité prévues par les assemblées générales.

Article 17 – ASSEMBLÉE GÉNÉRALE ORDINAIRE

L'assemblée générale ordinaire est réunie au moins une fois par an à l'effet de prendre connaissance du compte de gestion de la gérance et du rapport écrit sur l'activité de la société au cours de l'exercice écoulé. Elle statue sur cette reddition de compte, approuve ou redresse les comptes et décide l'affectation et la répartition des bénéfices.

– Elle nomme et révoque le ou les gérants.

– Elle délibère sur toutes questions, inscrites à l'ordre du jour, qui ne relèvent pas de la compétence de l'assemblée générale extraordinaire.

Les décisions de l'assemblée générale ordinaire doivent, pour être valables, être adoptées par un ou plusieurs associés représentant plus de la moitié du capital. Par exception, lorsque la gérance n'est pas vacante, la nomination ou la révocation du ou des gérants ne peut être décidée qu'à l'unanimité des associés.

Article 18 – ASSEMBLÉE GÉNÉRALE EXTRAORDINAIRE

L'assemblée générale extraordinaire peut apporter aux statuts toutes modifications qu'elle jugera utiles, sans exception ni réserve.

Elle est notamment compétente pour décider :

– l'augmentation ou la réduction du capital;

– la prorogation ou la dissolution anticipée de la société,

– la transformation de la société ou sa fusion avec d'autres sociétés;

– la modification de la répartition des bénéfices.

Les délibérations de l'assemblée générale extraordinaire doivent, pour être valables, être adoptées par un ou plusieurs associés représentant les deux tiers au moins du capital social. Chaque associé a autant de voix qu'il possède ou représente de parts, tant en son nom personnel que comme mandataire, sans limitation.

Article 19 – EXERCICE SOCIAL

L'exercice social commence le ... *(par exemple : 1er janvier)* et finit le ... *(par exemple : 31 décembre)* de chaque année. Par exception, le premier exercice comprendra le temps écoulé depuis l'immatriculation de la société jusqu'au ... *(date).*

Article 20 – COMPTES SOCIAUX

Il est tenu au siège social une comptabilité régulière.
En outre, à la clôture de chaque exercice social, il est adressé par la gérance un inventaire de l'actif et du passif de la société, un bilan, un compte de résultats et une annexe.
Ces documents, accompagnés d'un rapport de la gérance sur l'activité de la société, doivent être soumis aux associés dans les six mois de la clôture de l'exercice.

Article 21 – AFFECTATION ET RÉPARTITION DES BÉNÉFICES

– Les produits nets de l'exercice, constatés par l'inventaire annuel, déduction faite des frais généraux, des charges sociales, de tous amortissements de l'actif, de toutes provisions pour risques, constituent le bénéfice.
– Ce bénéfice est distribué entre les associés proportionnellement au nombre de parts possédées par chacun d'eux. Toutefois, l'assemblée générale ordinaire peut décider de le mettre en réserve ou de le reporter à nouveau, en tout ou partie.

Article 22 – Liquidation de la société

– A l'expiration ou en cas de dissolution anticipée de la société, l'assemblée générale extraordinaire nomme un ou plusieurs liquidateurs dont elle détermine les pouvoirs et la rémunération.
– Pendant le cours de la liquidation, les pouvoirs de l'assemblée générale régulièrement constituée se

constituent pour tout ce qui concerne la liquidation; l'assemblée générale a, notamment, le pouvoir d'approuver les comptes de la liquidation et de donner quitus aux liquidateurs.

– Le produit de la réalisation de l'actif sera employé à l'extinction du passif de la société envers les tiers. Les associés seront ensuite remboursés de leurs apports respectifs. Le solde sera réparti entre les associés proportionnellement au nombre de parts possédées par chacun d'eux.

Article 23 – CONTESTATIONS

Toutes contestations qui pourront s'élever entre les associés ou entre la société et les associés, relativement aux affaires sociales, pendant le cours de la société et de sa liquidation, seront soumises à la juridiction compétente suivant les règles du droit commun.

Article 24 – PERSONNE MORALE – IMMATRICULATION

La société jouira de la personnalité morale à compter de son immatriculation au Registre du commerce et des sociétés.

Article 25 – ACTES ACCOMPLIS POUR LE COMPTE DE LA SOCIÉTÉ EN FORMATION

L'état des actes accomplis pour le compte de la société en formation avec l'indication pour chacun d'eux des engagements qui en résulteraient pour la société a été présenté, avant la signature des présents statuts, aux associés qui déclarent l'accepter purement et simplement.

L'immatriculation de la société au Registre du commerce et des sociétés emportera reprise des actes accomplis avant cette immatriculation et reprise des engagements qui en résulteront pour la société.

Article 26 – PUBLICITÉ – POUVOIRS

Toutes les formalités requises par la loi à la suite des présentes, notamment en vue de l'immatriculation de la société au Registre du commerce et des sociétés, seront faites à la diligence du gérant, avec faculté de se substituer tout mandataire de son choix.

Tous pouvoirs sont conférés au porteur d'un original ou d'une copie des présentes pour toute formalité pouvant être accomplie par une personne autre que l'un des gérants.

Établi sur ... pages *(par exemple : 12 pages).*

Fait à ..., le ...

En cinq originaux dont un pour l'enregistrement, deux pour le dépôt au greffe et deux pour le dépôt au siège social. *(On peut augmenter le nombre d'originaux si l'on veut donner un original des statuts à chaque associé.)*

Signature de chacun des associés

(Modèle aimablement communiqué par Maître Michel GIRAY, notaire à Paris.)

Modèle 20

Procès verbal de désignation du premier gérant

SCI Sabrina
12, avenue Léon-Blum 93800 ÉPINAY-SUR-SEINE

Assemblée générale ordinaire des associés de la SCI Sabrina

Procès-verbal
Le ... *(date)* à ... heures, les associés de la SCI Sabrina *(nom)*, au capital de 1 500 F, se sont réunis au siège social : 12, avenue Léon-Blum 93800 ÉPINAY-SUR-SEINE

Sont présents :
- Monsieur Patrick MOULET 50 parts
- Madame Florence GENTEL 50 parts
- Madame Diane FLEURY 50 parts

Soit 150 parts représentant la totalité du capital social.

Après en avoir délibéré, les associés prennent les résolutions suivantes :

Première résolution
Les associés signent les statuts de la SCI Sabrina acceptant ainsi sa constitution.
Cette résolution est adoptée à l'unanimité.

Deuxième résolution
Les associés décident que la SCI Sabrina reprendra à son compte tous les actes qui auraient été accomplis, au nom de la société en formation, par les associés pendant la période constitutive. A dater de l'immatriculation de la S.C.I. au Registre du commerce et des sociétés, ces actes seront réputés avoir été accomplis directement par la société.
Cette résolution est adoptée à l'unanimité.

Troisième résolution
Les associés désignent à l'unanimité Madame Florence GENTEL en qualité de gérante de la SCI pour une durée illimitée.
Il est décidé qu'aucune rémunération ne sera versée à la gérante.
Madame GENTEL remercie les associés et déclare accepter les fonctions de gérante.
Cette résolution est adoptée à l'unanimité.

L'ordre du jour étant épuisé, la séance est levée à ... heures.
De tout ce que dessus, il a été dressé le présent procès-verbal qui, lecture faite, a été signé par les associés.

P. MOULET F. GENTEL D. FLEURY
(signature manuscrite de chaque associé sous son nom)

Modèle 21

Annonce légale de constitution de la SCI

Pour la constitution d'une S.C.I., le texte de l'annonce peut être beaucoup plus court que celui publié pour la constitution d'une société commerciale.

SCI Sabrina

Siège social : 12, avenue Léon-Blum 93800 ÉPINAY-SUR-SEINE
Suivant acte sous seing privé en date du ..., il a été constitué une société civile immobilière dénommée Sabrina, présentant les caractéristiques suivantes :

Capital social : 1 500 F, divisé en 150 parts de 10 F chacune

Objet : acquisition, gestion et location de biens immobiliers

Durée : 99 ans

Gérant : Mme Florence GENTEL
La société sera immatriculée au Registre du commerce et des sociétés de ... *(ville)*.

CHAPITRE II

VIE JURIDIQUE DE LA SOCIÉTÉ

On l'a vu, il existe un formalisme au moment de la constitution de la société.

On retrouve également ce formaliste tout au long de la vie de la société.

Ainsi, les associés doivent chaque année approuver les comptes. Parfois, il peut s'agir d'événements exceptionnels qui obligent les associés à prendre une décision : cessation des fonctions du gérant, transfert du siège social, constatation de pertes...

Qu'il s'agisse d'événements habituels (approbation des comptes) ou exceptionnels, il faut à chaque fois réunir les associés, rédiger un procès-verbal... Bref, respecter un formalisme précis.

I. APPROBATION DES COMPTES ANNUELS

Les modèles sont valables pour toutes les formes de sociétés.

Modèle 22

Convocation des associés à l'assemblée générale ordinaire annuelle d'approbation des comptes

En principe, la convocation à l'assemblée générale doit être envoyée par le gérant, en lettre recommandée avec avis de réception. Mais on peut remplacer le recommandé par une remise en mains propres de la convocation, contre décharge. La convocation doit avoir lieu au moins 15 jours avant la tenue de l'assemblée.

L'approbation des comptes doit intervenir au plus tard dans les six mois suivant la date de clôture de l'exercice. Ainsi, pour un exercice clos le 31 décembre, l'approbation doit avoir lieu au plus tard le 30 juin.

Nom et prénom de l'associé
Adresse

Date

Cher associé,
Nous vous prions de bien vouloir assister à la réunion de l'assemblée générale ordinaire des associés qui se tiendra le ... *(date)*, à ... heures, à l'effet de délibérer sur l'ordre du jour suivant :
- rapport de gestion de la gérance sur l'exercice clos le ... *(date)* et rapport spécial de la gérance sur les conventions visées à l'article 50 de la loi du 24 juillet 1966;
- approbation des comptes de l'exercice clos le ... *(date de clôture, par exemple : 31 décembre 1997)* et conventions;
- affectation des résultats;
- quitus à la gérance;
- approbation et révision de la rémunération du gérant;
- questions diverses.

Vous trouverez ci-joint :
- le texte des résolutions proposées à l'assemblée;
- le rapport de la gérance.

Si vous êtes empêché, vous pouvez vous faire représenter à l'assemblée par l'un de vos co-associés ou par votre conjoint, au moyen du pouvoir ci-joint.

Nous vous prions d'agréer, cher associé, l'expression de nos salutations cordiales.

Signature du gérant

Modèle 23

Pouvoir de représentation à l'assemblée générale ordinaire

POUVOIR

Je soussigné ... *(nom et prénom de l'associé empêché)* demeurant ... *(adresse),* propriétaire de ... parts sociales de la société ... *(dénomination),* SARL au capital de 50 000 F, dont le siège social est situé ... *(adresse),* immatriculée au Registre du commerce et des sociétés de ... *(ville)* sous le numéro ...
donne par la présente pouvoir à :
Madame ... *(nom et prénom de la personne qui vous représentera)* demeurant ... *(son adresse),* associée de ladite société, de me représenter à l'assemblée générale ordinaire qui se tiendra le ... *(date)* à ... heures aux fins de délibérer sur l'ordre du jour et de voter les résolutions proposées.

Fait à ..., le ...
Signature de l'associé qui
donne le pouvoir

Modèle 24

Procès-verbal de l'assemblée générale ordinaire annuelle d'approbation des comptes

Nom...

Société à responsabilité limitée
Au capital de ... F
Siège social : ...
n° : ...

ASSEMBLÉE GÉNÉRALE ORDINAIRE ANNUELLE DU ... 1998

Procès-verbal
L'an mil neuf cent quatre-vingt-dix-huit,
et le ... à ... heures,
les associés de la société ... *(nom),* société à responsabilité limitée au capital de .... F dont le siège social est à ... *(adresse),* se sont réunis au siège social, en assemblée générale ordinaire annuelle, sur convocation faite par la gérance.

Sont présents :
– M. ... *(nom et prénom)*
demeurant à ... *(adresse)*
propriétaire de : ... *(nombre)* parts
numérotées de ... à ...

– M. ... *(nom et prénom)*
demeurant à ... *(adresse)*
propriétaire de : ... *(nombre)* parts
numérotées de ... à ...
soit le total des parts composant le capital de ... parts.

L'assemblée est présidée par M. ... *(nom et prénom)*, en qualité d'associé-gérant, qui constate que les associés présents représentent la totalité du capital. En conséquence, il déclare l'assemblée régulièrement constituée pour délibérer valablement.

Monsieur le président rappelle que l'ordre du jour de la présente assemblée est le suivant :
– rapport de gestion de la gérance sur l'exercice clos le 31 décembre ... et rapport spécial de la gérance sur les conventions visées à l'article 50 de la loi du 24 juillet 1966;
– approbation desdits comptes et conventions;
– affectation des résultats;
– quitus à la gérance;
– approbation et révision de la rémunération du gérant;
– questions diverses.

Monsieur le président dépose sur le bureau :
– les statuts de la société;
– l'inventaire;
– le bilan, le compte de résultats et l'annexe au 31 décembre ...;
– le rapport de la gérance sur les opérations dudit exercice;
– le rapport spécial de la gérance sur les conventions visées à l'article 50 de la loi du 24 juillet 1966;
– l'ordre du jour de l'assemblée;
– le texte des résolutions proposées.

Puis, Monsieur le président rappelle que les associés ont pu exercer leur droit de communication et d'information dans les conditions prévues par la loi.

Les associés présents lui donnent acte de cette déclaration.

Monsieur le président donne ensuite lecture des rapports de la gérance.
Cette lecture achevée, Monsieur le président déclare la discussion ouverte. Puis, personne ne demandant plus la parole, il met successivement aux voix les résolutions suivantes, figurant à l'ordre du jour.

Première résolution
L'assemblée générale, après avoir entendu la lecture du rapport de la gérance sur les conventions visées à l'article 50 de la loi du 24 juillet 1966, prend acte qu'aucune convention n'a été conclue au cours de l'exercice clos le 31 décembre ...
Cette résolution, mise aux voix, est adoptée à l'unanimité.

Deuxième résolution
L'assemblée générale, après avoir entendu la lecture du rapport de la gérance sur la marche de la société au cours de l'exercice clos le 31 décembre ..., approuve les comptes et le bilan dudit exercice, tels qu'ils ont été présentés, ainsi que les opérations traduites dans ces comptes ou résumées dans ce rapport.
En conséquence, l'assemblée générale donne quitus à M. ... pour sa gestion au cours de l'exercice clos le 31 décembre ...
Cette résolution, mise aux voix, est adoptée à l'unanimité.

Troisième résolution
L'assemblée générale, après avoir constaté que les comptes de l'exercice clos le 31 décembre ... se soldent par un bénéfice de ... F
lequel, augmenté des sommes figurant au compte « report à nouveau » pour ... F

---

fait ressortir un montant de sommes distribuables pour ... F
décide d'affecter ladite somme de la manière suivante :
- aux associés, à titre de dividendes, la somme de ... F;
- au compte « report à nouveau », le solde, soit ... F.

En conséquence, chaque part sociale donnera droit au versement d'un dividende de ... F, assorti d'un avoir fiscal de ... F, soit au total, une somme de ... F; il sera mis en paiement à compter de ce jour.
En application de l'article 47 de la loi du 12 juillet 1965, l'assemblée générale prend acte de ce que les dividendes suivants ont été distribués au titre des deux exercices précédents :

Exercice	*Dividendes*	*Avoir fiscal*	*Total par part*

Cette résolution, mise aux voix, est adoptée à l'unanimité.

Quatrième résolution
L'assemblée générale approuve la rémunération du gérant, Monsieur ..., qui s'est élevée à la somme de ... F pour l'exercice ...
En outre, l'assemblée décide d'augmenter cette rémunération de 5 % par mois à compter du 1er janvier...
Cette résolution, mise aux voix, est adoptée à l'unanimité.

Cinquième résolution
L'assemblée générale confère tous pouvoirs au porteur d'un original, d'une copie ou d'un extrait du présent procès-verbal à l'effet d'effectuer les formalités légales partout où besoin sera.

Cette résolution, mise aux voix, est adoptée à l'unanimité.

L'ordre du jour étant épuisé et personne ne demandant plus la parole, la séance est levée.

De tout ce que dessus, il a été dressé le présent procès-verbal qui a été signé par les associés présents après lecture.

Signature des associés

Modèle 25

Rapport de gestion de la gérance sur l'exercice clos le ... *(date)*

Le gérant doit rédiger chaque année un rapport sur la situation et l'activité de la société, les perspectives d'avenir... Ce rapport doit être adressé aux associés en même temps que la convocation à l'assemblée générale ordinaire devant approuver les comptes annuels.

Mesdames, Messieurs,

Nous vous avons réunis en assemblée générale ordinaire, afin de porter à votre connaissance et de soumettre à votre approbation les comptes de l'exercice clos le ... *(date)* et de vous rendre compte de l'activité de notre société pendant ledit exercice.

Nous vous précisons que les comptes de notre société soumis à votre approbation ont été établis selon les mêmes méthodes que les années précédentes.
(Faites ensuite un résumé synthétique des affaires et de la situation de la société, du montant du bénéfice..., mais ne donnez pas trop de détails, car ce rapport peut être consulté au greffe par vos concurrents.)

Cet exercice se caractérise par une diminution sensible (– 18,8 %) de notre chiffre d'affaires dont les causes principales tiennent aux difficultés que connaît notre secteur.

Les mesures de restructuration prises récemment devraient produire leurs effets au début de l'année prochaine et nous permettre ainsi de retrouver un volume d'affaires satisfaisant.
(Ou encore : le bénéfice de notre société est en progression de 15 % et s'élève à ... F. Nous vous proposons d'affecter et de répartir ce bénéfice, comme suit :
– distribution aux associés de ... F;
– affectation à la réserve facultative d'une somme de ... F.)

Frédéric MILLE
Gérant

Modèle 26

Rapport spécial de la gérance sur les conventions visées à l'article 50 de la loi du 24 juillet 1966 sur les sociétés commerciales

Ce rapport est également présenté à l'assemblée générale ordinaire d'approbation des comptes. Mais il ne doit être rédigé que s'il existe des conventions visées à l'article 50 de la loi du 24 juillet 1966 sur les sociétés commerciales.

Il s'agit de conventions conclues entre la société et un gérant ou un associé, ou un de leurs proches.

Mesdames, Messieurs,

Nous vous présentons le rapport spécial prévu à l'article 50 de la loi du 24 juillet 1966 et de l'article 35 du décret du 23 mars 1967, applicables aux conventions dans lesquelles un gérant ou un associé est directement ou indirectement intéressé.
Ces conventions sont au nombre de ... *(chiffre, par exemple : deux, trois...).*

Convention n° 1 : conclue entre la société et ... *(moi-même, ou encore notre associé Monsieur ...).*
Cette convention porte sur ... *(indiquez sa nature, par exemple : contrat de location portant sur un logement de quatre pièces situé ... au prix de ... F).*

Convention n° 2 : ....

Conformément à la loi, chacune de ces conventions est soumise à votre approbation, l'associé intéressé ne pouvant prendre part au vote sur la convention qui le concerne.
Enfin, nous vous précisons ci-après le détail des sommes versées ou perçues au cours de l'exercice, en exécution des conventions conclues au cours d'exercices antérieurs et poursuivies durant le présent exercice.

Fait à ..., le ...

Signature du gérant

Modèle 27

Lettre au greffe pour accompagner l'envoi annuel des documents obligatoires

Les SARL, les EURL et les sociétés anonymes (SA) doivent déposer chaque année au greffe du tribunal de commerce du lieu du siège social certains documents, dans le **mois** qui suit l'assemblée générale ordinaire (AGO) annuelle.

Ce dépôt est fait en double exemplaire et porte sur :
- les comptes annuels (bilan, compte de résultats et annexe) ;
- le rapport de gestion (et le rapport spécial s'il en a été établi un) ;
- le rapport du commissaire aux comptes (s'il existe) sur les comptes annuels ;
- la proposition d'affectation des résultats soumise à l'AGO et la résolution votée.

Attention : de nombreux dirigeants pensent qu'ils sont obligés de déposer le procès-verbal de la délibération de l'AGO dans son intégralité. Or, souvent, le procès-verbal contient des informations très confidentielles (la rémunération du gérant, notamment). En réalité, il suffit de n'en déposer qu'un extrait, comportant uniquement l'annonce du résultat et son affectation.

On peut soit se déplacer pour déposer les documents, soit les envoyer par La Poste sous la forme recommandée avec avis de réception. Le dépôt est payant, il coûte actuellement autour de 260 F. Téléphonez avant pour joindre à vos documents un chèque du montant exact. A défaut, les documents vous sont retournés.

Monsieur le Greffier
Tribunal de commerce
de ... *(ville)*
Adresse

Date

Monsieur le Greffier,

Conformément à la législation en vigueur, nous vous prions de bien vouloir trouver ci-joint, en deux exemplaires, les documents suivants :
– les comptes annuels (bilan, compte de résultats et annexe) de notre société;
– le rapport de gestion de la gérance;
– le rapport spécial de l'article 50;
– un extrait de la délibération de l'AGO mentionnant la résolution votée sur le résultat et son affectation.
A l'appui de notre envoi, nous joignons un chèque d'un montant de ... F.

Nous vous prions de croire, Monsieur le Greffier, à l'expression de notre considération distinguée.

Signature du gérant

Modèle 28

Requête au président du tribunal de commerce pour proroger le délai de dépôt des comptes

L'assemblée générale ordinaire doit statuer sur les comptes et l'affectation des résultats dans les six mois qui suivent la clôture de l'exercice. Le non respect de ce délai est sanctionné d'une peine de prison. Sauf si vous en demandez la prolongation judiciaire. La requête est signée par le représentant légal de la société et envoyée sous la forme recommandée avec avis de réception.

Monsieur le Président du
tribunal de commerce
de ... *(ville)*
Adresse

Date

Recommandé avec avis de réception

A Monsieur le Président du tribunal de commerce de ... *(lieu)*

Je soussigné ... *(nom et prénom)* demeurant à ... *(adresse personnelle)* agissant en qualité de gérant de la société ... *(nom)*, société à responsabilité limitée au capital de ... F, dont le siège social est à ... *(lieu)*, immatriculée au Registre du commerce et des sociétés de ... *(lieu)* sous le numéro ..., ai l'honneur de vous exposer :
– que la société ... *(nom)* a, conformément à ses statuts, clôturé son dernier exercice le ... *(date)*;

– qu'elle sera dans l'impossibilité de réunir l'assemblée générale ordinaire pour statuer sur les comptes sociaux, dans les six mois, comme le prévoient les articles 56 et 427 de la loi du 24 juillet 1966, sauf prolongation dudit délai par décision de justice ainsi que le prévoit l'article 427 précité.
En effet, ... *(exposez les motifs qui vous empêchent de tenir l'assemblée, par exemple : à la suite d'un incendie, la société ne possède plus de locaux; ou encore : à la suite du décès brutal d'un associé... Ne racontez pas n'importe quoi, mais uniquement des faits vérifiables).*
C'est pourquoi le requérant conclut à ce qu'il vous plaise, Monsieur le Président, de proroger au ... *(date)* le délai pendant lequel sera réunie l'assemblée générale ordinaire appelée à statuer sur les comptes de l'exercice ... *(année).*

Fait à ..., le ...
Jonathan BLANC
Gérant

Modèle 29

Demande de convocation d'une assemblée faite par un associé au gérant

Il arrive que le gérant s'abstienne de convoquer l'assemblée parce qu'il craint une révocation. Un ou plusieurs associés, possédant la moitié des parts sociales, peuvent exiger du gérant la convocation immédiate d'une assemblée.

Monsieur ...
Gérant de la société ...
Adresse de la société

Date

Monsieur le Gérant,

Nous sommes titulaires de ... *(nombre total)* parts sociales représentant ... % *(par exemple : 50 %, 52 %...)* du capital. Conformément à l'article 57 de la loi du 24 juillet 1966 sur les sociétés commerciales, nous vous prions de bien vouloir, dès réception de la présente lettre, procéder à la convocation d'une assemblée des associés afin qu'elle délibère sur l'ordre du jour suivant : ... *(indiquez le problème que vous souhaitez voir traiter, par exemple : révocation du gérant, réexamen de la rémunération du gérant, nomination d'un second gérant, approbation des comptes et affectation des résultats).*

Nous vous prions d'agréer, Monsieur le Gérant, nos salutations distinguées.

Les associés
(nom, prénom des associés
et signature de chacun des
associés qui demandent
cette convocation)

Modèle 30

Convocation à l'assemblée générale du commissaire aux comptes

Il est obligatoire d'informer le commissaire aux comptes de la date de tenue de toutes les assemblées générales d'actionnaires. S'il ne vient pas, cela n'empêche pas l'assemblée de délibérer. Si des conventions (dites conventions de l'article 101) ont été passées entre la société et un associé ou un administrateur, il convient d'en informer le commissaire aux comptes.

Monsieur (ou Madame) ...
Commissaire aux comptes
Adresse

Date

Recommandé avec avis de réception

Monsieur le Commissaire aux comptes,

Nous avons l'honneur de vous informer que l'assemblée générale ordinaire de notre société se tiendra le ... à ... heures, au siège social, à l'effet de délibérer sur l'ordre du jour suivant :
- rapport de gestion du conseil d'administration;
- approbation des comptes de l'exercice clos le ... *(date de clôture, par exemple : 31 décembre 1997)* et conventions;
- affectation des résultats;
- quitus au conseil d'administration.

Nous vous précisons qu'il n'existe aucune convention relevant de l'article 101 de la loi sur les sociétés commerciales.

Nous restons à votre disposition, et vous prions de croire, Monsieur le Commissaire aux comptes, à l'expression de nos salutations distinguées.

Le conseil d'administration

II. LA GÉRANCE

Le gérant d'une société est en principe nommé pour une durée illimitée. Mais des événements imprévus peuvent entraîner la cessation de ses fonctions : la démission, le décès, la révocation; la démission étant de loin le cas le plus fréquent.

Les conséquences sont identiques : il faut désigner un nouveau gérant et procéder aux différentes formalités liées à ce changement.

Une fois le nouveau gérant désigné, il faut se rendre au greffe muni de deux copies certifiées conformes (le gérant doit écrire la formule « certifié conforme à l'original », suivi de sa signature) du procès-verbal de l'assemblée générale ainsi que d'un extrait du journal d'annonces légales ayant publié l'annonce.

Modèle 31

Lettre de démission du gérant

Un gérant peut démissionner de ses fonctions pour justes motifs. La démission du gérant est à envoyer en recommandé avec avis de réception à chacun des associés.

Monsieur ... *(nom et prénom de l'associé)*
Adresse

Date

Recommandé avec avis de réception

Monsieur,

J'ai l'honneur de porter à votre connaissance ma décision de démissionner de mes fonctions de gérant de la société ... *(nom)* et de cesser mon activité le ... *(indiquez la date du dernier jour de travail; si les statuts prévoient un préavis, le gérant doit le respecter).*

J'ai pris toutes dispositions utiles concernant la convocation d'une assemblée générale aux fins de nomination d'un nouveau gérant.

Veuillez agréer, Monsieur, l'expression de ma considération distinguée.

Signature du gérant

Modèle 32

Convocation d'une assemblée générale ordinaire réunie extraordinairement pour prendre acte de la démission (ou du décès) du gérant et nommer son remplaçant

Nom et prénom de l'associé
Adresse
Date

Recommandé avec avis de réception

Monsieur (ou Madame),

J'ai l'honneur de vous convoquer à l'assemblée générale ordinaire, réunie extraordinairement, qui se tiendra le ... *(date)* à ... heures, au siège social, à l'effet de délibérer sur l'ordre du jour suivant :
- démission du gérant;
- remplacement du gérant;
- pouvoirs pour formalités.

Au cas où vous ne pourriez assister à cette réunion, vous pouvez vous y faire représenter par un mandataire qui peut être soit un autre associé soit votre conjoint, muni d'un pouvoir signé par vous.

Comptant sur votre présence, je vous prie de croire, Monsieur (ou Madame), à l'expression de ma considération distinguée.

Renaud BALLE
Gérant

Modèle 33

Procès-verbal de l'assemblée générale ordinaire réunie extraordinairement pour désigner le nouveau gérant
Société ... *(nom)*

Société à responsabilité limitée au capital de ... F
Siège social : ... *(adresse)*

Assemblée générale ordinaire réunie extraordinairement des associés de la SARL ... *(nom)*

Procès-verbal
Le ... *(date)* à ... heures, les associés de la SARL ... *(nom)* au capital de ... F, se sont réunis au siège social : ... *(adresse)*

Sont présents :
- Monsieur ... *(nom et prénom)* ... parts
- Madame ... *(nom et prénom)* ... parts
- Madame ... *(nom et prénom)* ... parts

Soit ... parts représentant la totalité du capital social.

L'assemblée est présidée par le gérant, Monsieur ... *(nom et prénom)*.
Monsieur le président rappelle que l'assemblée est réunie pour statuer sur l'ordre du jour suivant :
- démission du gérant;
- nomination d'un nouveau gérant;
- pouvoir pour formalités.

Monsieur ... rappelle, en effet, qu'il souhaite abandonner ses fonctions de gérant à compter du ...

Après en avoir délibéré les associés prennent les résolutions suivantes :

Première résolution
L'assemblée générale donne acte au gérant M. ... de sa démission qui sera effective le ... *(date)*.
Cette résolution, mise aux voix, est adoptée à l'unanimité.

Deuxième résolution
L'assemblée générale décide de nommer M. ... *(nom et prénom du nouveau gérant)* aux fonctions de gérant à dater du ... *(date)*.
Cette résolution, mise aux voix, est adoptée à l'unanimité.

Troisième résolution
L'assemblée générale confère tous pouvoirs au porteur de copie du présent procès-verbal, à l'effet de procéder aux formalités de dépôt au greffe du tribunal de commerce de ... *(lieu)*.
L'ordre du jour étant épuisé, la séance est levée à ... heures.

De tout ce que dessus, il a été dressé le présent procès-verbal qui, lecture faite, a été signé par les associés.

(Signature manuscrite de chaque associé sous son nom)

Modèle 34

Annonce légale signalant le remplacement du gérant

Le gérant demeure responsable de la gestion (et des fautes) tant que la cessation de ses fonctions n'a pas été enregistrée au greffe. Si vous cessez vos fonctions de gérant, vous avez intérêt à veiller à ce que les formalités soient faites très rapidement.

SARL ... *(nom)*
au capital de ...
Siège social : ...

Aux termes d'une délibération en date du ..., l'assemblée générale :
– a pris acte de la démission du gérant M. ... *(nom et prénom)* à effet au ... *(date de cessation des fonctions);*
– a nommé aux fonctions de gérant M. ... *(nom et prénom)* demeurant ... *(adresse personnelle du nouveau gérant)* à compter du ... *(date)* pour une durée illimitée.

Mention sera faite au Registre du commerce et des sociétés de ... *(lieu)*.

Pour avis : le gérant

Modèle 35

Envoi au centre de formalités des entreprises (C.F.E.) du dossier concernant le changement de gérant

Si vous ne pouvez pas vous déplacer pour faire enregistrer le changement de gérant, vous pouvez envoyer le dossier par La Poste sous la forme recommandée avec avis de réception.

Téléphonez auparavant pour demander quel est le montant du chèque que vous devez y joindre.

Centre de formalités des
entreprises de ...
Adresse
Date

Recommandé avec avis de réception

Madame, Monsieur,

Nous vous prions de bien vouloir trouver ci-joint, aux fins de dépôt au greffe et d'inscription modificative au Registre du commerce et des sociétés, un dossier concernant la société ... *(nom)* comprenant :
– deux copies certifiées conformes à l'original du procès-verbal de l'assemblée générale;
– un avis de remplacement du gérant, publié par ... *(nom du journal d'annonces légales).*

Vous trouverez en outre un chèque d'un montant de ... F, correspondant aux frais.

Nous vous prions de croire, Madame, Monsieur, à l'expression de notre considération distinguée.

Jean-Louis MALTE
Gérant

TROISIÈME PARTIE

LE COURRIER DE VOTRE ENTREPRISE

CONSEILS POUR UNE CORRESPONDANCE PARFAITE

Le premier contact avec vos partenaires (clients, fournisseurs, administrations…) prend souvent la forme d'une lettre que vous leur adressez.

La lettre véhicule donc l'image de l'entreprise. C'est à travers votre courrier que vos interlocuteurs vont avoir une première impression – positive ou négative – sur l'entreprise.

• *L'art d'écrire*

On voit trop souvent des lettres professionnelles constellées de fautes d'orthographe, quand elles ne sont pas écrites dans un style approximatif ou incompréhensible. Votre courrier est le **messager** de votre entreprise.

Or, écrire est un art. On peut être un excellent comptable ou un très bon ingénieur et ne pas savoir écrire. Hélas, beaucoup de salariés ne sont pas conscients de leurs lacunes et sont bien surpris quand on leur signale que leur lettre est illisible pour le commun des mortels.

C'est donc à vous, chef d'entreprise, de veiller.

Tant que vous n'êtes pas sûr des qualités rédactionnelles d'un(e) salarié(e), vous ne devez pas le laisser envoyer le moindre courrier sans vous le montrer.

• ***La lettre, un acte dangereux***

Enfin, une lettre est un écrit qui engage l'entreprise, il a une valeur juridique. Or, parfois, certains salariés – parce qu'ils ne sont pas juristes – envoient étourdiment des courriers qui se révèlent dangereux et coûteux pour l'entreprise.

Ainsi, une société a récemment été lourdement condamnée à la suite d'un licenciement, simplement parce que le comptable avait un peu imprudemment écrit au salarié licencié quelques vérités qui auraient dû rester verbales.

Il faut donc être prudent et vous méfier du zèle intempestif des collaborateurs sûrs d'eux ou inconscients. Ne craignez pas de blesser l'orgueil d'auteur mal placé, de tel ou tel collaborateur qui se prend pour une « excellente plume ».

Une lettre est envoyée au nom de l'entreprise. Son contenu engage donc l'entreprise et met en cause votre responsabilité de dirigeant et non pas celle du salarié incompétent ou inconscient qui a commis la bévue.

Vous devez sensibiliser tout le personnel aux dangers de l'écrit, mais aussi peut-être envisager d'envoyer en formation ceux qui doivent écrire.

Vous ne devez pas admettre que des lettres mal rédigées, ou raturées, soient envoyées à vos partenaires, sous prétexte que la lettre doit partir avant la fermeture du bureau de poste. Il est préférable de remettre le départ de la lettre au lendemain, plutôt que de laisser partir un texte médiocre ou bâclé.

Même s'il s'agit d'une simple lettre d'accompagnement pour envoyer une brochure ou fournir un prix, le style et l'orthographe doivent être impeccables. Et, bien entendu, la lettre doit être rédigée sur du papier propre à en-tête de l'entreprise. Une lettre, ou tout autre écrit, doit toujours être datée. Exemple : Nice, le 2 octobre 1997.

Faut-il employer la première personne du singulier ou la première personne du pluriel, c'est-à-dire « je » ou « nous »?

En général, on emploie le terme « nous ». Mais rien ne vous empêche de personnaliser en utilisant le « je », s'il s'agit de courriers destinés à des partenaires avec qui vous entretenez des relations amicales ou encore si vous vous exprimez « ès qualité », c'est-à-dire vraiment en qualité de représentant de la société.

• ***Prohibition de la lettre manuscrite***
Enfin, n'envoyez jamais de courrier ou de fax écrits à la main. Un chef d'entreprise japonais disait récemment sa stupeur de recevoir des fax d'entreprises françaises (mais pas des entreprises allemandes ou britanniques) écrits à la main, alors qu'il s'agissait parfois de marchés portant sur des sommes colossales.

Même si la lettre (ou le fax) ne comporte que deux lignes, le courrier des affaires doit **toujours** être tapé à la machine. Mieux, achetez-vous un traitement de texte. Actuellement, on trouve des micro-ordinateurs pour moins de 5 000 F. Et si vous n'avez pas les moyens d'engager une secrétaire, faites un stage pour apprendre à taper. Certains systèmes (Macintosh, par exemple) sont plus aisés à faire fonctionner... qu'un magnétoscope. C'est dire qu'aujourd'hui la micro-informatique n'est plus réservée aux surdoués de l'informatique.

C'est un investissement modeste et cela vous permet d'avoir un courrier impeccablement présenté. Sans oublier la possibilité de corriger une phrase ou un mot sans avoir à tout retaper, comme c'est le cas avec une machine à écrire traditionnelle.

Pour les partenaires avec qui vous entretenez des relations amicales, rien ne vous empêche de personnaliser votre lettre en y ajoutant, à la fin, une petite phrase à la main.

Ainsi, vous pouvez remplacer les traditionnelles « salutations distinguées » en écrivant un petit mot (selon votre degré d'intimité) sur le mode anglais, du genre « Bien à vous », « Avec mon fidèle souvenir » « Cordialement », « A bientôt », « Bien amicalement »...

Faut-il le rappeler, l'image d'une entreprise se mesure aussi à sa courtoisie.

Et la courtoisie, c'est également de répondre au courrier que vous recevez. Trop souvent, des entreprises se retrouvent assignées en justice à cause de la négligence ou du lourd entêtement d'un(e) salarié(e).

Ainsi, une société s'est retrouvée devant le juge parce que la comptable avait décidé de ne pas remplir l'attestation des ASSEDIC d'un salarié ayant quitté l'entreprise. Sous prétexte que ce dernier l'avait insultée, elle s'était entêtée dans son refus.

Dans les entreprises, on trouve encore trop de collaborateurs(trices) « qui n'en font qu'à leur tête » ou qui font une « affaire personnelle » de ce qui n'est – et ne doit rester – qu'un acte professionnel.

N'admettez pas la « dictature » de certains salariés, sous prétexte qu'ils sont excellents. Personne n'est indispensable.

Bien entendu, le ton du courrier doit être courtois, même s'il s'agit d'un refus d'accéder à une demande. Expliquez avec correction pourquoi il vous est impossible de répondre positivement à la demande de votre interlocuteur.

Là encore, certains salariés se permettent d'envoyer des courriers où la grossièreté le dispute à l'arrogance.

Un client, un interlocuteur que votre personnel aura traité avec mépris le fera savoir à dix personnes.

Faites dater, au moyen d'un tampon, tout le courrier qui arrive. Cela vous évitera d'entendre cette réponse fréquente « la lettre est arrivée hier et j'allais y répondre ».

Bien entendu, vous devez conserver les originaux des courriers reçus et un double de tous ceux que vous envoyez. Le tout doit être soigneusement classé.

• ***L'importance de la signature***

Établissez également des règles quant à la signature du courrier. Le représentant légal de la société, c'est vous. Ne déléguez pas inconsidérément la signature du courrier.

Posez des limites précises en indiquant la nature des courriers qui peuvent être signés par certains collaborateurs et ceux que vous exigez de voir et de signer personnellement.

Quoi qu'il en soit, la qualité du signataire doit toujours être indiquée. Par exemple, Odette LOURY, gérante; ou encore, Claude BERCY, directeur comptable; Marie SIMON, juriste...

Si quelqu'un doit signer une lettre à votre place, faites indiquer la mention manuscrite « PO » (pour) devant votre nom. Bien entendu, la personne signe de son propre nom et non pas du vôtre.

I. VOS RELATIONS AVEC VOTRE BANQUIER

Modèle 36

Demande de découvert permanent

Le découvert n'est pas un droit mais une faculté. Si on vous l'accorde, demandez qu'on vous indique par écrit : le montant, les conditions, les agios, le délai de préavis en cas de révocation... Cela vous met à l'abri en cas de changement de directeur d'agence.

Monsieur *(ou Madame)* ...
Directeur d'agence
Nom de la banque
Adresse

Date

Compte(s) n°(s) :

Monsieur le Directeur,

Comme suite à notre entretien du ... *(date)*, nous vous confirmons notre demande d'un découvert permanent de ... F.

A l'appui de notre demande, vous voudrez bien trouver ci-joint :
- les bilans des années ... et ...;
- un procès-verbal de nomination du gérant;
- un exemplaire des statuts.

Vous en souhaitant bonne réception, nous vous prions d'agréer, Monsieur le Directeur, l'expression de nos salutations distinguées.

Signature

Modèle 37

Contestation d'une opération ou de frais

Vous devez contrôler les relevés de compte de votre entreprise dès leur réception.

Vous avez en principe quinze jours (un mois dans certaines banques) pour contester les écritures qui s'y trouvent.

Nom de la banque
Adresse

Date

Compte n° :

Madame, Monsieur,

Nous constatons sur le dernier relevé de compte en date du ... que notre compte a été débité d'une somme de ... F pour un chèque n° ...
Notre comptabilité montre que nous n'avons pas émis un chèque d'un tel montant et que cette numérotation ne correspond à aucun des chéquiers en notre possession.
Cette opération concerne vraisemblablement une autre entreprise.
En conséquence, nous vous prions de bien vouloir créditer notre compte de la somme correspondante dans les plus brefs délais.

Nous vous prions d'agréer, Madame, Monsieur, l'expression de notre considération distinguée.

Bernard GRELOS
Gérant

Modèle 38

Clôture d'un compte bancaire

En tant que dirigeant, vous pouvez librement clore le compte de votre entreprise, sans avoir de raison à donner.

Nom de la banque
Adresse

Date

Compte n° :

Madame, Monsieur,

Nous vous prions de bien vouloir prendre note de notre décision de clore, à dater du ..., nos comptes numéros ... et ... ouverts auprès de votre établissement.
Jusqu'à cette date, nous laisserons une provision suffisante pour faire face aux paiements des chèques et virements déjà émis.
Après cette date, vous voudrez bien nous adresser un relevé de compte détaillé et un chèque ou un virement du solde en notre faveur.

Veuillez agréer, Madame, Monsieur, l'expression de nos salutations distinguées.

Anne-Laure BISET
Directeur général

Modèle 39

Révocation d'une procuration

Vous aviez donné une procuration sur les comptes de l'entreprise à l'un de vos salariés ou à une autre personne. Vous pouvez la révoquer sans avoir de raison à donner à la banque. Par courtoisie, prévenez d'abord (verbalement) le salarié ou la personne concernée.

Téléphonez ensuite rapidement à la banque pour être bien sûr que votre révocation a été enregistrée.

Monsieur le Directeur
Nom de la banque
Adresse

Date

Recommandé avec avis de réception
Compte n° :

Monsieur le Directeur,
En ma qualité de gérante, j'avais consenti des procurations sur les comptes numéros ... et ..., au profit de Monsieur ... *(nom du bénéficiaire de la procuration)*, chef comptable, directeur financier *(fonction du collaborateur)*.
Je vous prie de bien vouloir noter qu'à dater de ce jour je révoque totalement lesdites procurations.
En conséquence, Monsieur ... *(nom du salarié)* n'a plus aucun pouvoir pour faire fonctionner les comptes référencés ci-dessus.

Je vous prie de croire, Monsieur le Directeur, à l'expression de ma considération distinguée.

Juliette MORLET
Gérante

Modèle 40

Demande de taux de crédit

Vous envisagez de faire un emprunt et souhaitez comparer les conditions proposées par les différentes banques.

Vous pouvez envoyer une lettre circulaire à plusieurs d'entre elles. Comparez tout : taux du crédit, frais de dossier, conditions de remboursement, garanties demandées...

Nom de la banque
Adresse

Date

Objet : demande de taux

Madame, Monsieur,

Notre société envisage d'effectuer un emprunt sur cinq années pour financer ... *(indiquez l'objet : l'achat de matériel, des travaux de rénovation des bureaux, l'achat de camions de livraison...).*

En conséquence, nous vous saurions gré de bien vouloir nous indiquer si votre établissement est susceptible de nous proposer un financement avantageux, avec un taux préférentiel.

Nous restons à votre disposition pour apporter toute précision sur notre projet.

Dans cette attente, nous vous prions de croire, Madame, Monsieur, à l'expression de notre considération distinguée.

Claire-Marine LOR
Directeur du
département comptable

Modèle 41

Opposition sur un chéquier

A la suite d'un cambriolage (ou d'un autre incident) dans vos bureaux, des chéquiers ont été dérobés. Faites immédiatement opposition par téléphone auprès de votre banque. Confirmez systématiquement par lettre recommandée, même si l'on vous dit que cela est inutile.

Nom de la banque
Adresse

Date

Recommandé avec avis de réception
Compte(s) no(s) ...

Madame, Monsieur,

Notre société a été la victime d'un vol avec effraction au cours de la nuit du...

Quatre (*indiquez le nombre*) chéquiers ont été dérobés. En conséquence, nous vous confirmons notre opposition sur ces quatre chéquiers dont les numéros suivent :
- numéros ... à ....
- numéros ... à ....
- numéros ... à ....
- numéros ... à ....

Vous trouverez ci-joint copie de la déclaration de vol faite auprès du commissariat de police.

Nous vous prions d'agréer, Madame, Monsieur, l'expression de notre considération distinguée.

Marc LARY
Gérant

Modèle 42

Demande de virement permanent à la banque

Monsieur (ou Madame) ...
Directeur d'agence
Adresse

Date

Objet : virement permanent
Compte n° ...

Monsieur le Directeur,

Nous vous prions de bien vouloir effectuer un virement mensuel de ... F, le ... *(date)* de chaque mois et ce pour une durée illimitée.

Ce virement automatique et permanent est à réaliser au profit de ... *(nom et prénom du bénéficiaire)*, compte numéro ..., ouvert à la ... *(nom de la banque)*.
Pour faciliter la réalisation de l'opération, nous vous joignons un relevé d'identité bancaire du bénéficiaire de ces virements.

Vous en remerciant, nous vous prions d'agréer, Monsieur le Directeur, nos salutations distinguées.

François LOGNE
Directeur financier

Modèle 43

Demande de report d'une échéance de crédit à une banque

Monsieur (ou Madame) ...
Directeur d'agence
Adresse

Date

Recommandé avec avis de réception
Contrat de crédit n° ...

Monsieur le Directeur,

A la suite de difficultés financières imprévues, nous ne pourrons pas faire face au règlement de l'échéance du ... *(date)* d'un montant de ... F.

C'est pourquoi nous vous saurions gré d'accepter le report de cette échéance au ... *(date)*, date à laquelle notre trésorerie sera de nouveau positive.

Vous en remerciant par avance, nous vous prions de croire, Monsieur le Directeur, à l'expression de nos salutations distinguées.

Pierre-Jean CLUG
Gérant

II. RELATIONS COMMERCIALES

A. VOS RELATIONS AVEC VOS CLIENTS

Modèle 44

Accusé de réception d'une commande et annonce d'une date de livraison

Exigez toujours une confirmation écrite d'une commande, même au moyen d'un fax. Le client peut changer d'avis et affirmer qu'il n'a rien commandé.

Pour certaines commandes, l'exécution peut être immédiate. Mais parfois, notamment pour les grosses commandes entre entreprises, un délai de plusieurs jours, voire plusieurs semaines, est nécessaire. Dans ce cas, il est judicieux d'accuser réception de la commande et d'indiquer la date de livraison que vous prévoyez.

A la place du « Monsieur » ou « Madame », vous pouvez employer l'expression « Cher client ».

Nom du client
Adresse

Date

Références :
votre commande n° ... du ...

Monsieur (ou Madame),

Nous accusons réception de votre commande n° ... du ... *(date)* et vous remercions de votre confiance.

Ces machines *(ou ces articles)* vous seront livrés le ... *(date)* par notre partenaire, la société de transport ... (*nom, ou encore : par le SERNAM...*).

Nous vous prions de croire, Monsieur (ou Madame), à l'expression de nos salutations distinguées.

Noël MOA
Chef de dépôt

Modèle 45

Envoi d'un tarif à une entreprise ou à un particulier

Les tarifs que vous envoyez vous engagent vis-à-vis de celui à qui vous les communiquez. Si ces tarifs ne sont plus à jour ou s'ils doivent augmenter prochainement, indiquez clairement sur votre lettre, mais aussi sur le dépliant (si vous en joignez un), qu'ils sont fournis à titre indicatif.

Nom du demandeur
Adresse

Date

Madame,

Comme suite à votre demande, nous avons le plaisir de vous communiquer nos tarifs en vigueur au ... *(date).*
Nous restons à votre disposition pour envisager une solution personnalisée en fonction du volume de votre commande *(ou encore : nos tarifs sont dégressifs à partir de telle quantité).*

Nous vous prions d'agréer, Madame, l'expression de nos salutations distinguées.

Alix ROUSSEL
Chef des ventes

Modèle 46

Conditions générales de vente et de service

Les conditions générales de ventes (C.G.V.) sont des informations détaillant à l'avance vos rapports contractuels avec les tiers, précisant vos prix, vos délais de livraison, vos conditions de vente...

Les C.G.V. sont en général imprimées sur les bons de commande, les factures, les prospectus... Voici un modèle que vous pouvez adapter.

CONDITIONS GÉNÉRALES DE VENTE

LIVRAISON
Nos marchandises voyagent aux risques et périls de l'acquéreur.

FACTURATION
Les factures sont établies aux prix et conditions en vigueur à la date de facturation.

PAIEMENT
Nos factures sont payables comptant, soit à la commande, soit à la livraison. En application de l'article 31 de la loi n° 92-1442 du 31 décembre 1992, tout retard de paiement entraînera, après envoi d'une mise en demeure, l'application de pénalités de retard d'une fois et demie le taux de l'intérêt légal.

RÉSERVE DE PROPRIÉTÉ
La marchandise reste la propriété du vendeur jusqu'au complet paiement du prix (loi n° 80 335 du 12 mai 1980). La responsabilité des marchandises est toutefois transférée à l'acheteur dès la livraison.

ATTRIBUTION DE COMPÉTENCE
En cas de litige, le tribunal de commerce de ... *(ville)* sera seul compétent.
(Attention : les clauses d'attribution de compétence sont valables uniquement entre professionnels. Elles sont sans valeur vis-à-vis des particuliers.)

Modèle 47

Demande à un client pour qu'il retourne la traite acceptée

De nombreuses transactions sont payées au moyen de lettres de change ou de billets à ordre.

Parfois, le client « oublie » de retourner la traite, afin de gagner un peu de temps. Rappelez-le à l'ordre.

Nom du client
Adresse

Date

Cher Client,

Le ... *(date)*, nous vous avons adressé une lettre de change que vous deviez nous retourner après l'avoir acceptée.
Or, à ce jour, elle ne nous est toujours pas parvenue.
En conséquence, nous vous saurions gré de l'accepter et de nous la retourner immédiatement.

Vous remerciant de votre diligence, nous vous prions de croire, cher Client, à l'expression de notre considération distinguée.

Signature

Modèle 48

Réponse à une cliente qui a retourné un article en demandant le remboursement

Selon l'article L 121-16 du Code de la consommation, tout particulier qui achète à distance dispose d'un délai de sept jours, à compter de la date de livraison, pour retourner au vendeur l'article en vue d'un échange ou d'un remboursement selon son choix, sans avoir de justifications à fournir.

Nom et prénom de la cliente
Adresse

Date

Chère Madame,

Comme suite à votre lettre en date du ..., nous avons le plaisir de vous adresser ci-joint un chèque de ... F, correspondant à l'article que vous nous avez retourné avant la fin du délai légal.
Nous vous prions de bien vouloir accepter nos excuses pour le refus de remboursement qui vous a été initialement opposé. Il s'agit d'une erreur de nos services.
A titre de dédommagement, vous trouverez ci-joint un bon d'achat d'un montant de 300 F, à valoir sur votre prochaine commande.

Veuillez agréer, chère Madame, nos salutations distinguées.

Luc BERNIER
Directeur commercial

Modèle 49

Envoi à un client d'une facture et d'une lettre de change

Nom du client
Adresse

Date

Cher Client,

Nous vous prions de bien vouloir trouver ci-joint :

– une facture numéro ... d'un montant de ... F, correspondant à notre livraison du ...;
– une lettre de change du même montant à échéance du ... *(date)*, que vous devrez nous retourner après acceptation et signature.

Nous vous en remercions, et vous prions d'accepter, cher Client, l'expression de nos sentiments dévoués.

Arlette CAR
Service comptabilité-clients

Modèle 50

Avertissement à un client pour chèque impayé

Votre client vous a remis un chèque en paiement d'une vente ou d'une prestation. Or, votre banque vient de vous avertir que ce chèque est revenu impayé.

Envoyez le courrier au nom du représentant légal de l'entreprise (gérant, directeur général...).

Monsieur ...
Gérant
Société ...
Adresse

Date

Monsieur le Gérant,

En règlement de la facture n° ..., du ... *(date)*, vous nous aviez adressé un chèque n° ... en date du ..., tiré sur ... *(nom de la banque, par exemple : sur la B.N.P., sur le Crédit Agricole...)* d'un montant de ... F.
Or, notre banque vient de nous informer que le paiement de votre chèque a été refusé faute de provision.
Nous vous prions de nous indiquer quelles solutions vous envisagez pour régulariser cette situation : soit une nouvelle présentation du chèque par nos soins, soit l'envoi d'un mandat rapidement, soit l'envoi d'un nouveau chèque tiré sur un autre compte suffisamment approvisionné.

Dans l'attente de votre prompte réponse, veuillez agréer, Monsieur le Gérant, l'expression de nos salutations distinguées.

Le service comptabilité

Modèle 51

Transaction commerciale

Une transaction est un accord où chaque partie fait des concessions réciproques.

Une fois signée, elle a la même valeur qu'un jugement.

Sauf si l'une des parties prouve qu'elle a été la seule à faire des concessions.

L'accord doit être rédigé en autant d'originaux qu'il y a de parties au contrat.

Entre
La société ... *(nom)* immatriculée au R.C.S. sous le numéro ..., dont le siège social est situé ... *(adresse)*, représentée par ... *(par exemple : son gérant, Jacques LOUBET)*
et
la société ... *(nom)* immatriculée au R.C.S. sous le numéro ..., dont le siège social est situé ... *(adresse)*, représentée par ... *(par exemple : son directeur général, Roger BAR)*.

Il a été rappelé ce qui suit :
(Expliquez ici l'objet du litige et les prétentions de chacune des parties.)
Les parties se sont rapprochées pour mettre fin au litige qui les oppose dans les conditions des articles 2044 et suivants du Code civil.

Il a été convenu ce qui suit :
(Indiquez ici clairement la solution retenue et acceptée par les deux parties.)
A la suite du présent accord, les parties mettent fin au litige qui les oppose et décident que cet accord a, entre elles, autorité de la chose jugée.
Chacune des parties s'engage à l'exécuter avec diligence et bonne foi.

Fait à ..., le ...
En ... originaux

Jacques LOUBET,
gérant de
la société ... *(nom)*

Roger BAR,
directeur général de
la société ... *(nom)*

Modèle 52

Réponse à la réclamation d'un client

La réclamation d'un client doit être examinée avec la plus grande attention, car un client mécontent le fait savoir à dix personnes. Et, à long terme, la réputation de l'entreprise peut se trouver ruinée.

Mais soyez prudent, car une réclamation peut déboucher sur un procès et le client produire votre lettre.

Nom du client
Adresse

Date

Référence :

Cher Client,

Nous avons bien reçu votre courrier du ... *(date)* par lequel vous nous exprimez votre mécontentement d'avoir reçu la livraison de votre commande avec un retard de ... jours par rapport à la date fixée.
Nous vous prions de bien vouloir accepter nos excuses pour la gêne que ce retard a pu vous occasionner.

Toutefois, ce retard ne nous est pas imputable. En effet, ... *(expliquez les raisons, par exemple : une grève dans la société de transport vous a contraint à rechercher un autre transporteur disponible; ou encore : une grève au SERNAM a empêché le départ des colis pendant ... jours. Ne donnez pas des explications mensongères, elles seraient vite découvertes).*

Nous vous prions de croire, cher Client, à l'assurance de nos sentiments les meilleurs.

Gilles PERLET
Directeur général

Modèle 53

Premier rappel à un client à la suite d'une facture impayée

La première lettre de rappel doit être ferme mais courtoise.
On peut y rappeler les factures impayées et leurs objets (vente de marchandises, exécution de prestations...).

Ce premier rappel, envoyé en lettre simple, peut être suivi d'un appel téléphonique quelques jours plus tard.

Ne laissez jamais des factures impayées s'accumuler. L'expérience montre que c'est souvent le signe avant-coureur de difficultés graves, voire d'un dépôt de bilan imminent.

Nom du client
Adresse

Date

Facture n° ... du ...

Monsieur le Gérant,

Nous vous avons adressé le ... *(date)*, une facture n° ... d'un montant de ... F *(ou encore : un relevé des factures n° ... de ... F, n° ... de ... F)*. Cette facture correspondant à notre livraison de ... *(biens livrés)*, en date du ... *(date de la livraison)*.
Or, à ce jour, cette facture demeure impayée.

En conséquence, nous vous prions de nous adresser ce règlement par retour du courrier.

Veuillez agréer, Monsieur le Gérant, nos salutations distinguées.

François DUBELLE
Directeur comptable

Modèle 54

Deuxième rappel à un client à la suite d'une facture impayée

Cette deuxième lettre est à envoyer dans les 10 à 15 jours qui suivent l'envoi de la première. Le ton doit être plus ferme. Elle est à envoyer en recommandé avec avis de réception.

Madame Myriam HERBIER
Gérante
SARL ...
Adresse

Date

Recommandé avec avis de réception

Objet : facture impayée
n° ...

Madame la Gérante,

Le ... *(date)*, nous vous avons adressé une lettre de rappel concernant le non-paiement de notre facture n° ... de ... F.

Or, malgré ce rappel, votre règlement ne nous est toujours pas parvenu.

Si ce règlement ne nous parvient pas sous huitaine, nous utiliserons toutes les voies d'exécution forcée pour vous contraindre.

Veuillez agréer, Madame la Gérante, nos salutations distinguées.

Louis MOREL
Directeur financier

Modèle 55

Mise en demeure à un client à la suite d'une facture impayée

La mise en demeure a un triple intérêt : psychologique, parce que vous manifestez votre détermination; juridique, parce qu'elle fait courir les intérêts moratoires (ou pénalités) et elle permet de constater le refus du débiteur de payer.

Si le client est une société, la mise en demeure est rédigée au nom de la société. Mais vous pouvez mentionner le nom de son dirigeant.

Société ... *(nom du client)*
Adresse

Date

Mise en demeure
Recommandé avec avis de réception

Monsieur le Gérant,

Nous vous rappelons que votre société nous doit la somme de ... F, représentée par les factures numéros ..., ... et ...
Nous constatons que nos rappels des ... *(dates, par exemple : 10 octobre et 2 novembre 1997)* n'ont pas eu d'effet.
En conséquence, nous nous voyons dans l'obligation par la présente lettre recommandée avec avis de réception de vous mettre en demeure d'avoir à nous régler la somme de ... F, dans un délai de huit jours à compter de ce jour.
A défaut, nous agirons par la voie judiciaire.

Veuillez agréer, Monsieur le Gérant, l'expression de nos salutations distinguées.

Marc LOUNEZ
Gérant

FISCALITÉ DE L'IMPAYÉ

– **La constitution d'une provision**

Si une créance comporte un risque d'« irrécouvrabilité », le créancier peut constituer une provision pour créances douteuses. Le montant de la provision est fixé par le chef d'entreprise en fonction des renseignements qu'il possède et des espoirs qu'il a concernant un éventuel paiement du débiteur.

Si la créance est définitivement irrécouvrable, elle doit cesser de figurer au bilan. Il n'est pas utile de constituer une provision, il faut passer cette créance en perte.

Si la créance est litigieuse, c'est-à-dire qu'il y a un désaccord avec le débiteur qui a engagé une action en justice, il faut l'inscrire en comptabilité, mais passer une provision pour créance litigieuse (et non une provision pour créance douteuse). Attention : si vous ne voulez pas voir le fisc (à l'occasion d'un éventuel contrôle fiscal) remettre en cause vos provisions pour créances douteuses ou vos créances passées en pertes, il faut conserver des preuves démontrant que vous avez fait toutes les diligences pour recouvrer la créance (lettres de rappel, mise en demeure, commandement de payer...).

Une provision pour créance impayée doit être constituée sur la base de son montant hors taxe.

– **La TVA sur impayés**

Si la créance est devenue définitivement irrécouvrable, la TVA impayée peut être imputée (c'est-à-dire qu'elle est déductible du montant de TVA que vous devez au fisc) ou remboursée (c'est-à-dire restituée par le fisc).

Mais attention, l'imputation (ou la restitution) de la TVA ayant grevé des ventes demeurées impayées ne peut avoir lieu que si vous avez adressé au client défaillant un duplicata de la facture initiale surchargée de la mention : « Facture demeurée impayée pour la somme de ... F (prix net) et pour la somme de Y F (TVA correspondante) qui ne peut faire l'objet d'une déduction » (C.G.I. art. 272).

Modèle 56

Lettre autorisant un client à payer sa facture en plusieurs fois

Formalisez votre accord par écrit afin que le client ne puisse pas aller demander de nouveaux délais de paiement au juge.

Nom du client
Adresse

Date

Vos références :

Monsieur (ou Madame),

Par un courrier en date du ..., vous nous indiquez que des difficultés financières vous empêchent de régler l'intégralité de notre facture de ... F.
A titre exceptionnel, et pour vous être agréable, nous avons le plaisir de vous consentir un échelonnement de votre dette pour un règlement en trois fractions égales, à savoir :
- règlement immédiat de ... F;
- le ... *(date)*, règlement de ... F;
- le ... *(date)*, règlement du solde.

Souhaitant vivement vous voir respecter cet accord, nous vous prions d'agréer, Monsieur (ou Madame), l'expression de nos salutations distinguées.

Alain GRAL
Gérant

Modèle 57

Lettre pour refuser des délais de paiement à un client

Nom du client
Adresse

Date

Vos références :

Monsieur (ou Madame),

Par un courrier en date du ..., vous nous indiquez que des difficultés financières vous empêchent de régler notre facture de ... F.
Cette facture remonte déjà à six mois.
En outre, à plusieurs reprises, nous vous avons consenti de longs délais de règlement.
Cette situation préjudiciable à l'équilibre de notre trésorerie ne saurait perdurer.
En conséquence, nous refusons de vous accorder le délai sollicité et vous prions de nous adresser, par retour du courrier, le règlement de cette facture.

Veuillez agréer, Monsieur (ou Madame), nos salutations distinguées.

Robin BLANC
Directeur commercial

Modèle 58

Lettre pour refuser le report de l'échéance d'une lettre de change

Nom du client
Adresse

Date

Vos références :

Madame, Monsieur,

Nous accusons réception de votre lettre du ... *(date)* nous demandant de bien vouloir reporter l'échéance de la lettre de change que vous avez acceptée, du ... *(échéance prévue)* au ... *(date demandée).*
Malheureusement, nous sommes contraints de répondre négativement à votre demande.
En effet, cette lettre de change a été escomptée et n'est donc plus en notre possession.
Il vous appartient donc de prendre toutes mesures pour honorer l'échéance fixée au ...

Veuillez agréer, Madame, Monsieur, nos salutations distinguées.

Signature

Modèle 59

Requête en injonction de payer au tribunal de commerce

L'injonction de payer est une procédure simple et peu onéreuse (environ 150 F de frais), permettant le recouvrement rapide de créance.

L'injonction de payer est un ordre de payer (jugement) donné à votre débiteur.

Pour obtenir une injonction de payer contre un mauvais payeur, il suffit d'adresser votre demande (qui s'appelle une requête) sur papier libre au président du tribunal de commerce.

Monsieur le Président
Tribunal de commerce de ...
Adresse

Date

Monsieur le Président,

La société ... *(indiquez le nom et la forme juridique de votre société, par exemple société DULET, société à responsabilité limitée)* dont le siège social est situé ... *(adresse)*, que je représente en qualité de ... *(indiquez votre titre, par exemple : gérant)* est créance de ... *(indiquez le nom et l'adresse du débiteur qui vous doit l'argent, par exemple : SARL FOURNIER, 3, rue du Bois 75004 Paris)* pour la somme de ... F.
Cette somme correspond ... *(indiquez le détail, par exemple : une livraison de marchandises)*.
Ce montant est exigible depuis le ... *(date à laquelle la facture devait être payée)*.

En conséquence, nous vous demandons de prendre, à l'encontre du débiteur, une ordonnance portant injonction de payer à hauteur du montant en principal, augmenté des intérêts au taux légal.
Vous trouverez ci-joint les pièces justificatives de notre créance.

Nous vous prions d'agréer, Monsieur le Président, l'expression de notre considération respectueuse.

Jean CASTEL
Gérant

PJ : 3 pièces justificatives

Modèle 60

Lettre d'envoi d'une requête en injonction de payer au tribunal de commerce

Monsieur le Greffier en chef
Tribunal de commerce
Palais de justice
Adresse

Date

Monsieur le Greffier,

Nous vous adressons ci-joint une requête en injonction de payer, nos pièces justificatives et un chèque de ... F à votre ordre à titre de provision sur frais.
Nous vous serions très obligés de présenter notre requête à Monsieur le président du tribunal de commerce.

Veuillez agréer, Monsieur le Greffier, l'expression de nos salutations distinguées.

Signature

Modèle 61

Pouvoir spécial de représentation devant le tribunal

Devant le tribunal de commerce, le tribunal d'instance et le conseil de prud'hommes, l'assistance d'un avocat n'est pas obligatoire. En principe, c'est le représentant légal de la société qui se présente devant le tribunal, mais il peut déléguer ce pouvoir à un collaborateur.

POUVOIR

Je soussignée Brigitte FENEY, gérante de la SARL Gralet, dont le siège social est à Dijon, 27, bd de la République, donne pouvoir à Madame Sophie BION, juriste de la société Gralet, de me représenter à l'audience du tribunal de commerce de Nice (ou tribunal d'instance ou conseil de prud'hommes de ...) du ... à ... heures.
En conséquence, pouvoir est donné à Madame BION de comparaître à toutes audiences de compétence, de conciliation, avec missions de défendre les intérêts de notre société, prendre toutes les conclusions nécessaires à la barre, les modifier et les augmenter si elle le juge utile, signer tous les documents et, d'une manière générale, sans exception ni réserve, faire tout ce qu'elle croira utile aux intérêts de la SARL dont j'assure la gérance.

Fait à Dijon, le ...
Signature du gérant précédée
de la mention manuscrite
« Bon pour pouvoir »

Modèle 62

Lettre à un huissier de justice pour obtenir une saisie-attribution

Vous possédez une injonction de payer, un jugement... contre un débiteur. Il vous suffit d'adresser ce titre exécutoire à un huissier de justice pour qu'il recouvre le montant de la créance, sans avoir à refaire une nouvelle procédure.

Nom de l'huissier de justice
Adresse

Date

Maître,

Nous sommes créanciers de la société ... *(nom)*, dont le siège social est situé ... *(adresse)*.
Nous possédons un titre exécutoire de ladite créance que vous trouverez ci-joint pour un montant de ... F *(montant de la dette)*.
En application de la loi n° 91-650 du 9 juillet 1991, nous vous prions de bien vouloir procéder au recouvrement rapide de notre créance, selon tous moyens que vous jugerez utiles.

Nous vous en remercions et vous prions d'agréer, Maître, nos salutations distinguées.

Claude MARTEL
Gérant

Modèle 63

Lettre pour transmettre à un huissier de justice un jugement ou une injonction de payer

Si le débiteur est complètement insolvable, il est judicieux de ne pas engager de gros frais pour tenter de recouvrer ce qu'il vous doit.

Vous pouvez demander à l'huissier de justice de vérifier lui-même auparavant si votre débiteur peut payer.

Maître ...
Huissier de justice
Adresse

Date

Maître,

Nous vous adressons ci-joint l'injonction de payer *(ou jugement de condamnation)* revêtue de la formule exécutoire rendue à notre profit contre ... *(nom du débiteur).*
Nous vous serions obligés de la *(ou le)* signifier à notre débiteur et de faire une tentative avant poursuites pour obtenir règlement.
Avant d'engager toute mesure d'exécution forcée, vous voudrez bien nous donner votre avis sur la solvabilité de notre débiteur.

Veuillez agréer, Maître, l'expression de nos salutations distinguées.

Jacqueline BADIN
Gérante

QUELQUES EXEMPLES DE CONFLITS AVEC LES CLIENTS... ET LEURS SOLUTIONS

La marchandise a été livrée, mais le client prétend ne l'avoir jamais reçue alors qu'il a signé un bon de livraison
Précaution : faites toujours signer un bon de livraison.
Action : dites à votre client qu'en cas de procès ce sera à lui de prouver qu'il n'a rien reçu, votre bon de livraison signé établissant la réalité de la créance. Si vous n'avez pas de bon de livraison dûment signé, la consultation de ses livres (comptabilité des stocks) pourra établir l'existence de la créance. Mais, bien entendu, vous ne pouvez aller directement consulter les livres du client, c'est le juge qui lui donnera l'ordre de les produire.

La marchandise est livrée, le client déclare qu'il y a des détériorations
Action : votre client a légalement trois jours pour émettre ses réserves (article 105 du Code de commerce). S'il n'a pas réagi dans les délais, indiquez-lui que vous pouvez entamer les procédures de recouvrement classiques.

La marchandise a été livrée, le client prétend qu'il n'a rien commandé
La livraison a été effectuée et acceptée, mais le client affirme qu'il ne l'avait pas commandée. Comment réagir?
Précaution : demandez systématiquement une confirmation de commande, par courrier ou par télécopie, effectuée sur papier à en-tête.
Vous avez un bon de commande, prenez des mesures conservatoires ou entamez une procédure en référé. Si vous n'avez pas de bon ou de confirmation de commande, il est encore possible de prouver l'existence du contrat dans la mesure où le client n'a pas protesté à la réception de la marchandise. Mais dans ce cas, il est préférable de consulter un avocat.

Votre client conteste la facture
Dissuadez-le. Son argument ne tient pas. Il devait contester ou émettre ses réserves dès la réception de la facture.

Votre client prétend posséder un avoir
Votre client prétend que vous lui avez accordé un avoir et invoque ce motif pour bloquer la totalité du paiement.
Si l'avoir n'est pas justifié, entamez une procédure de recouvrement pour l'intégralité des factures. Il ne peut pas vous forcer à accepter un paiement fractionné de la dette (article 1244 du Code civil).

Votre client soutient vous avoir déjà payé
C'est à lui de le démontrer en apportant les preuves et en produisant les relevés bancaires comportant le débit de la somme en question.

PRODUCTION DE CRÉANCES À UN REDRESSEMENT JUDICIAIRE

En principe, le représentant des créanciers vous adresse un avis individuel pour vous informer de l'ouverture de la procédure de redressement judiciaire à l'encontre de votre client. Vous avez généralement un mois pour lui adresser votre production de créance.

Modèle 64

Lettre accompagnant une déclaration de créance à un administrateur judiciaire

Maître Daniel GOUDET
Administrateur judiciaire
29, rue des Bleuets
06000 NICE

Date

Recommandé avec avis de réception

Maître,

Nous sommes informés que par le jugement en date du ..., le tribunal de commerce de Nice *(ou le tribunal de grande instance de ...)* a prononcé le redressement judiciaire de la SARL Stabler et vous a désigné en qualité d'administrateur judiciaire.
Vous voudrez donc bien trouver sous ce pli, en double exemplaire, notre déclaration de créance, accompagnée des photocopies des pièces justificatives certifiées conformes. Nous joignons une enveloppe timbrée pour votre accusé de réception.

Nous vous en remercions par avance et vous prions d'agréer, Maître, l'expression de nos sentiments distingués.

Signature

Modèle 65

Déclaration de créance à un administrateur judiciaire

La société ... *(nom de votre société)* dont le siège est ... *(adresse)*
R.C.S. n° ...
Déclare en conformité des articles 50 et suivants de la loi du 25 janvier 1985 à :
Maître ... *(nom et prénom de l'administrateur judiciaire nommé par le tribunal)*, ... *(adresse)*.
Représentant les créanciers de ... *(nom du débiteur, par exemple : la SARL Stabler)*, ... *(adresse)*, R.C.S. n° ... *(du débiteur)*
Être créancier ... *(précisez : chirographaire si vous n'avez aucune garantie ou privilégié si vous avez une garantie)* à l'égard de ce débiteur des sommes suivantes :
– principal ... F
– intérêts .... F
– frais .... F
Soit un total de ... F.
En vertu de ... *(indiquez la nature de votre créance, par exemple : lettre de change impayée, factures en date ... pour livraison de ..., travaux en date du ..., facturés le ...)*.

Fait à ..., le ...
Signature du représentant légal

PJ : ...

Modèle 66

Requête en relevé de forclusion

Pour une raison sérieuse, vous n'avez pas pu déclarer, dans les délais prévus par la loi, votre créance à l'administrateur judiciaire de votre client.

Vous pouvez demander qu'on accepte votre production de créance, bien que tardive. A envoyer sous forme recommandée avec avis de réception.

Requête en relevé de forclusion

A Monsieur le Juge-
Commissaire du redressement
judiciaire de la société ... *(nom de votre client défaillant)*
Tribunal de ... *(lieu)*
Adresse

Date

La société ... *(nom de votre société)*, société à responsabilité limitée au capital de ... F, immatriculée au Registre du commerce et des sociétés de ... *(lieu)*, sous le numéro ..., dont le siège social est situé ... *(adresse)*, représentée par son gérant en exercice *(ou son président du conseil d'administration, évitez le terme pompeux de p-dg inconnu du droit)*, David PLOT, domicilié en cette qualité audit siège,

A L'HONNEUR DE VOUS EXPOSER
Que dans le cadre de son activité, elle a conclu avec la société ... *(nom du débiteur)*, société anonyme au capital de ... F, dont le siège social est situé ... *(adresse)*, immatri-

culée au R.C.S. sous le numéro ..., un contrat de ... *(indiquez la nature, par exemple : contrat de vente de cinq armoires fortes réfractaires, contrat de maintenance des robots mécaniques, contrat d'entretien ménager des bureaux...)* qui a donné lieu à une facturation de ... F.
Que la société ... *(nom du débiteur)* ne s'est pas acquittée de sa dette, la requérante restant créancière de cette société pour un montant de ... F.
Que la société ... *(nom du débiteur)* a été mise en redressement judiciaire par jugement en date du ..., qui vous a nommé juge-commissaire et désigné, Maître ..., comme représentant des créanciers.
Que la requérante s'est trouvée dans l'impossibilité de déclarer sa créance en raison de ... *(expliquez pourquoi vous n'avez pas pu déclarer dans les délais, la raison doit être indépendante de votre volonté).*
Que dès qu'elle a été en mesure de le faire, la requérante a aussitôt déclaré, par lettre recommandée avec avis de réception en date du ... à Maître ... sa créance *(créance chirographaire, si vous n'avez pas de garantie et créance privilégiée, si vous avez une garantie)* pour un montant de ... F.
Que Maître ... a refusé ladite déclaration de créance au motif que les délais prévus à l'article 66 de la loi du décret du 27 décembre 1985 étaient expirés.

C'EST POURQUOI
en application de l'article 53 de la loi du 25 janvier 1985, la société ... *(nom de votre société)* requiert qu'il vous plaise, Monsieur le Juge-Commissaire, de bien vouloir la relever de la forclusion encourue.

Fait à ..., le ...
Signature du représentant légal

PJ : copies
- du contrat de ... *(vente, maintenance...)*;
- de la *(ou des)* facture(s) de ... F;
- de la déclaration de créance;
- de la réponse de Maître ..., représentant des créanciers.

Modèle 67

Mise en demeure à l'administrateur judiciaire de votre client de prendre parti sur la poursuite d'un contrat en cours

Le silence de l'administrateur judiciaire pendant un mois, à dater de la réception de votre mise en demeure, vaut refus de poursuivre le contrat.

Maître…
Administrateur judiciaire
Adresse

Date

Recommandé avec avis de réception

Objet : règlement judiciaire de la société …

Maître,

La société … *(nom du client)* ayant son siège social … *(adresse du client)* a conclu avec notre société un contrat de … *(indiquez la nature, par exemple : un bail de 9 ans, un contrat de maintenance informatique, un contrat d'entretien de ses installations électriques…)* dont vous trouverez ci-joint copie.

Le tribunal de commerce de … *(lieu)* a, par jugement en date du …, ouvert une procédure de redressement judiciaire à l'encontre de la société … *(nom du client)* et vous a désigné en qualité d'administrateur judiciaire.

Conformément à l'article 37 de la loi du 25 janvier 1985, modifié par les articles 26-I et II de la loi n° 94-475 du 10 juin 1994, nous vous mettons en demeure de nous indiquer dans un délai d'un mois à dater de la réception de la présente, si vous entendez poursuivre l'exécution de ce contrat.
A défaut de réponse de votre part dans ce délai d'un mois, la résiliation du contrat interviendra de plein droit.

Veuillez agréer, Maître, nos salutations distinguées.

Fabrice CHARME
Gérant

Modèle 68

Lettre à l'administrateur judiciaire pour revendiquer un bien vendu avec clause de réserve de propriété à un client ayant déposé le bilan

Le transfert juridique de la propriété d'un bien se fait en principe au moment de la livraison. Toutefois, le vendeur peut, dans le contrat de vente, prévoir une clause de réserve de propriété, indiquant le transfert de propriété qui n'aura lieu qu'après complet paiement du prix. Ainsi, en cas de non-paiement, le vendeur peut reprendre son bien.

Maître ...
Administrateur judiciaire
Adresse

Date

Recommandé avec avis de réception
Objet : règlement *(ou liquidation)* judiciaire de la société ...

Maître,

Selon le bon de livraison numéro ... en date du ..., nous avons livré à la société ... *(dénomination)* les biens suivants : ... *(indiquez la nature, par exemple : un micro-ordinateur, une armoire, un broyeur de papiers...).*
Cette vente était assortie d'une clause de réserve de propriété.
Or, à ce jour, nous n'avons pas reçu le règlement de ces biens.
Ainsi, conformément à l'article 121 de la loi du 25 janvier 1985, nous revendiquons la propriété de ces biens et vous demandons, en conséquence, de nous les restituer.
A l'appui de notre demande, vous trouverez ci-joint copies des différentes pièces.

Veuillez agréer, Maître, nos salutations distinguées.

Patrick HÉRISSON
Gérant

PJ : ...

Modèle 69

Demande au greffe d'un extrait K Bis d'un client avec lequel vous envisagez de travailler

Monsieur le Greffier
Tribunal de commerce de ...
Adresse

Date

Monsieur le Greffier,

Je vous prie de bien vouloir m'adresser un extrait K Bis de la société ... *(dénomination)* dont le siège social est situé ... *(adresse)* et qui est immatriculée sous le numéro ... *(indiquez le numéro du R.C.S. si vous le connaissez).* Vous voudrez bien trouver un chèque d'un montant de ... F *(renseignez-vous par téléphone sur le prix des frais)* à l'ordre du greffe.

Vous remerciant par avance de votre envoi, je vous prie d'agréer, Monsieur le Greffier, mes salutations distinguées.

Patrice LEDU
Directeur financier

PJ : un chèque.

B. VOS RELATIONS AVEC VOS FOURNISSEURS

Modèle 70

Commande d'un matériel ou d'un autre bien

Pour commander un matériel ou tout autre article, vous pouvez utiliser le bon de commande remis par le fournisseur. Mais en utilisant son bon de commande, vous acceptez par avance ses conditions de vente.

Vous pouvez donc passer votre commande au moyen d'une lettre.

Nom du fournisseur
Adresse

Date

Objet : commande

Madame, Monsieur,

Nous vous prions de bien vouloir prendre note de la commande suivante : ... (*indiquez les produits commandés et le nombre*)
au prix unitaire T.T.C. de ... F,
soit un montant total T.T.C. de ... F.
Le règlement interviendra à réception de la livraison et de votre facture.
Nous vous remercions de votre diligence pour nous assurer une livraison sous ... (*10 jours, 3 semaines... ou encore : dans les délais les plus brefs*).

Dans cette attente, nous vous prions d'agréer, Madame, Monsieur, l'expression de nos salutations distinguées.

Sophie TOLER
Direction commerciale

Modèle 71

Demande de tarifs ou de conditions générales de vente

Nom du fournisseur
Adresse

Date

Madame, Monsieur,

Nous vous saurions gré de bien vouloir faire parvenir vos tarifs en vigueur *(ou vos conditions générales de vente)* au 15 octobre 1997 pour votre gamme de produits « Azur ».

Vous voudrez bien nous préciser également si un règlement à 45 jours est susceptible de vous convenir.

Dans l'attente de vous lire, nous vous prions de croire, Madame, Monsieur, en l'expression de nos salutations les meilleures.

Stéphanie BELLE
Service des achats

Modèle 72

Confirmation de réserves à un fournisseur suite à une livraison

Nom du fournisseur
Adresse

Date

Objet : confirmation de réserves

Madame,

Comme suite à notre entretien téléphonique de ce matin, nous vous confirmons nos réserves concernant la livraison du ... *(date).*
En effet, ... *(expliquez le problème, par exemple : il manquait deux câbles de machine; ou encore douze lampes sont brisées; ou encore : la livraison porte sur des couvertures de couleur bleu alors que notre commande portait sur des couvertures de couleur marron).*
En conséquence, nous vous prions de bien vouloir prendre en compte cette situation lors de l'établissement de la facture afférente à cette livraison.

Veuillez agréer, Madame, nos salutations distinguées.

Service achats

Modèle 73

Refus d'un produit livré mais non commandé ou non conforme à la commande

Nom du fournisseur
Adresse

Date

Madame, Monsieur,

Selon notre bon de commande *(ou notre lettre)* du ..., dont vous trouverez copie jointe, nous avions commandé ... *(par exemple : 10 000 cartes postales références « B 21 » comportant en motif des anges).*
A réception de votre livraison de ce matin, nous constatons que ... *(par exemple : les cartes comportent en motif des bouquets de fleurs; ou encore : la livraison comprend 15 000 cartes alors que notre commande mentionnait 10 000 cartes).*
En conséquence, nous vous retournons ce jour, à vos frais, ces articles non conformes à notre commande.
Nous vous prions de bien vouloir nous assurer une nouvelle livraison conforme à notre commande.

Vous en remerciant, nous vous prions d'agréer, Madame, Monsieur, l'expression de nos salutations distinguées.

Mauricette LANE
Gérante

Modèle 74

Envoi d'un règlement de facture à un fournisseur

Quelles que soient les raisons qu'on vous donne, inscrivez toujours sur le chèque le nom de votre fournisseur, société ou personne physique. N'envoyez jamais de chèque sans ordre, ou encore au nom personnel du gérant ou autre dirigeant. Récemment, un comptable a découvert que le gérant détournait les chèques destinés à la société en se les faisant envoyer sans mention d'ordre.

Nom de votre fournisseur
Adresse

Date

Madame, Monsieur,

Nous vous prions de bien vouloir trouver ci-joint le chèque numéro ..., d'un montant de ... F, tiré sur ... *(nom de la banque, par exemple : sur la B.N.P.)* en règlement de vos factures suivantes :
- factures n° 312 du 20 octobre 1997 de ... F;
- facture n° 420 du 15 novembre 1997 de ... F.

(Ou encore de votre relevé de facture numéro ... en date du ...).

Vous en souhaitant bonne réception, nous vous prions d'agréer, Madame, Monsieur, nos salutations distinguées.

La comptabilité

Modèle 75

Réponse à un fournisseur qui vous réclame une facture payée

Ne laissez jamais une demande de paiement sans réponse. Si vous avez réglé, indiquez quand et comment. Inutile de risquer de vous retrouver assigné en justice pour une facture réglée. Sans oublier que, parfois, vos recherches sur une facture que le fournisseur croyait impayée lui révèlent un détournement dans sa comptabilité.

Nom du fournisseur
Adresse

Date

Madame, Monsieur,

Nous sommes très surpris de votre rappel concernant le paiement de la facture numéro ... du ... d'un montant de ... F.
En effet, cette facture a été réglée au moyen d'un chèque numéro ... tiré sur ... *(nom de la banque, par exemple : la Société Générale)* en date du ... d'un montant de ... F.
Selon les écritures de notre relevé de compte bancaire, ce chèque a fait l'objet d'un encaissement le ...

Nous restons à votre disposition pour toutes précisions utiles, et vous prions d'agréer, Madame, Monsieur, nos salutations distinguées.

Le service comptabilité

Modèle 76

Lettre pour indiquer à un fournisseur que vous compensez la somme que vous lui devez avec celle qu'il vous doit

Nom du fournisseur
Adresse

Date

Madame, Monsieur,

Nous avons bien reçu votre demande de règlement concernant la facture n° ... de ... F.
Toutefois, nos écritures montrent que vous nous devez un facture n° ... d'un montant de ... F, correspondant à notre livraison du ...

Conformément à l'article 1291 du Code civil, nous compensons votre créance et la nôtre.
Après cette compensation, il apparaît un solde en notre faveur de ..., somme que nous vous prions de bien vouloir nous régler rapidement.

Veuillez agréer, Madame, Monsieur, nos salutations distinguées.

Signature

Modèle 77

Demande de rectification d'une facture non conforme à la loi

Nom du fournisseur
Adresse

Date

Madame, Monsieur,

Nous vous retournons la facture numéro ... datée du ... en vous priant de bien vouloir en éditer une autre, plus conforme à la législation.
En effet, ... *(expliquez le problème, par exemple : cette facture est établie toutes taxes et ne mentionne pas le montant de la T.V.A.; ou encore : cette facture est éditée sur du papier blanc ne comportant ni votre dénomination sociale ni votre numéro d'immatriculation au R.C.S...).*
Nous procéderons au règlement de notre dette dès réception d'une facture conforme à la législation.

Vous remerciant de votre diligence, nous vous prions d'agréer, Madame, Monsieur, nos salutations distinguées.

Laura VIEL
Directeur comptable

Modèle 78

Confirmation des réserves à un transporteur à la suite d'une livraison

Selon l'article 105 du Code de commerce, aucune action n'est possible si les réserves auprès du transporteur n'ont pas été faites dans les trois jours (non compris les jours fériés) suivant la réception, par lettre recommandée avec avis de réception.

La protestation doit être motivée.

Nom du transporteur
Adresse

Date

Recommandé avec avis de réception
Objet : dégâts sur livraison du ...

Madame, Monsieur,
Le ... *(date),* vous nous avez livré ... *(indiquez la nature des biens, par exemple : un photocopieur, un stock d'ampoules électriques...),* commandés à notre fournisseur, la société ... *(nom).*
Conformément à l'article 105 du Code de commerce, nous vous confirmons les réserves que nous avons émises sur le bon de livraison, à savoir : ... *(précisez les avaries).*
Votre responsabilité étant à l'évidence engagée, nous vous prions de bien vouloir prendre toutes mesures pour :
– reprendre ces articles défectueux;
– les faire remplacer par notre fournisseur.
Nous adressons copie de la présente lettre à notre fournisseur, la société ...

Veuillez agréer, Madame, Monsieur, l'expression de nos salutations distinguées.

Irène BLEUET
Direction commerciale

Modèle 79

Mise en demeure à un fournisseur qui n'a pas répondu à votre commande payée

Nom du fournisseur
Adresse

Date

Mise en demeure
Recommandé avec avis de réception
Objet : notre commande du ...

Madame, Monsieur,
Le ..., nous vous avons adressé une commande de ... *(nature)* accompagnée d'un chèque de règlement de ... F indiquant que nous souhaitions une livraison sous quinzaine.
Or, près de ... semaines se sont écoulées sans que nous ayons été livrés.
Nous avons tenté d'obtenir des apaisements en téléphonant à vos services, mais les réponses sont restées évasives.
En conséquence, nous vous mettons en demeure de nous livrer les articles commandés et payés d'avance.
Si vous êtes dans l'incapacité d'honorer notre commande, nous vous mettons en demeure de nous adresser, par retour du courrier, un chèque de remboursement.
A défaut, nous saisirons les juridictions compétentes.

Veuillez agréer, Madame, Monsieur, nos salutations distinguées.

Claude ABY
Directeur commercial

Modèle 80

Envoi d'un chèque de paiement à une officine de recouvrement en refusant de payer les frais

Nom de la société de
recouvrement
Adresse

Date

Référence :

Madame, Monsieur,

Vous trouverez ci-joint un chèque de ... F correspondant à la somme due à la société ... *(nom du fournisseur).*
Quant aux frais que vous nous réclamez, ils sont, en application de l'article 1999 du Code civil, à la charge du créancier qui vous a mandaté.

Veuillez agréer, Madame, Monsieur, nos salutations distinguées.

Pascal MORISSE
Service juridique

Modèle 81

Demande d'ouverture d'un compte à un fournisseur régulier

Nom du fournisseur
Adresse

Date

Référence :
Objet : demande d'ouverture de compte

Madame, Monsieur,

Nous vous passons des commandes d'un faible montant, mais fréquentes et régulières.
Actuellement, nous réglons à réception de vos factures.
Cette solution nous semble coûteuse en frais de gestion.
En conséquence, nous serions désireux d'obtenir l'ouverture d'un compte permanent dans vos livres et de vous régler nos commandes à réception d'un relevé mensuel établi par vos services le 29 de chaque mois.
Nous pouvons vous faire parvenir nos références bancaires, si vous le souhaitez.

Vous en remerciant par avance, nous vous prions d'agréer, Madame, Monsieur, nos salutations distinguées.

Marc-François CAGNE
Service commercial

Modèle 82

Déclaration d'un sinistre à l'assureur

Nom de la compagnie
d'assurances
Adresse

Date

Recommandé avec avis de réception
Police n° ...

Madame, Monsieur,

Nous avons le regret de vous faire part du sinistre dont notre société a été victime.
En effet, un incendie s'est déclaré dans la nuit du ... au ... *(date)*, ravageant totalement les trois bureaux du rez-de-chaussée, mobilier et archives inclus.
L'origine de l'incendie demeure inconnue pour l'instant.
Vous trouverez en annexe un état provisoire des dommages ainsi que la valeur des biens détruits.

Nous restons à votre disposition pour toute précision complémentaire et vous prions de croire, Madame, Monsieur, en nos salutations distinguées.

Signature

Modèle 83

Résiliation des polices d'assurance au plus tard deux mois avant la date d'échéance

Nom de la compagnie
d'assurances
Adresse

Date

Recommandé avec avis de réception
Police(s) n°(s) ...

Madame, Monsieur,

Nous vous prions de bien vouloir prendre acte de la résiliation de notre *(nos)* contrat*(s)* d'assurance de ... *(nature du contrat : de notre siège social, de notre dépôt de ..., de notre camion de livraison...)*, souscrit auprès de votre compagnie sous le numéro ..., à sa prochaine échéance *(ou leurs prochaines échéances)*, soit le ... *(date d'échéance du ou de chaque contrat)*.
Nous vous saurions gré de bien vouloir nous confirmer rapidement la résiliation du *(ou des)* présent*(s)* contrat*(s)*.

Vous en remerciant, nous vous prions d'agréer, Madame, Monsieur, l'expression de nos salutations distinguées.

Patrick FOUT
Gérant

Modèle 84

Lettre d'avertissement à l'assureur d'un prochain changement

Nom de la compagnie
d'assurances
Adresse

Date

Recommandé avec avis de réception
Police(s) no(s) ...

Madame, Monsieur,

Nous vous prions de bien vouloir prendre note du transfert de notre siège social dans des locaux situés ... *(adresse)*, le ... *(date du déménagement)*.
Voulez-vous nous indiquer s'il est possible de transférer notre actuel contrat au profit des nouveaux locaux, tout en conservant les mêmes conditions de prix et de garantie?
Dans l'affirmative, nous vous saurions gré de bien vouloir nous faire tenir un avenant prenant en compte cette nouvelle situation.

Vous en remerciant, nous vous prions de croire, Madame, Monsieur, à l'expression de notre considération distinguée.

Florence GENTILLE
Gérante

Modèle 85

Demande de report du paiement d'une lettre de change à un fournisseur

Nom du fournisseur
Adresse

Date

Madame, Monsieur,

Le ... *(date)* vient à échéance notre lettre de change d'un montant de ... F.
Or, des difficultés financières imprévues et passagères nous empêchent de faire face à cette échéance.
En conséquence, nous vous saurions gré de bien vouloir, à titre exceptionnel, reporter l'échéance de cette lettre de change au ...
Bien entendu, nous acceptons de prendre à notre charge les frais que ce report peut vous occasionner.

Nous vous remercions par avance de votre effort et vous prions de croire, Madame, Monsieur, à l'expression de notre considération distinguée.

Frédéric MORLET
Gérant

III. VOS RELATIONS AVEC VOTRE PERSONNEL

Modèle 86

Attestation de présence d'un salarié dans l'entreprise

ATTESTATION DE PRÉSENCE

Je soussigné François-Xavier BRAT, chef du personnel, atteste que Madame Olga RIGOL, demeurant ... *(adresse)* est employée dans notre société en qualité de ... *(indiquez la fonction, par exemple : standardiste, comptable, juriste)* au titre d'un contrat à durée indéterminée, à temps plein.

Fait à ..., le ...

Modèle 87

Lettre simplifiée d'embauche d'un(e) salarié(e)

Nom et prénom du salarié
Adresse

Date

Monsieur,

Nous vous confirmons votre recrutement par notre société aux conditions suivantes :
– Poste : juriste
– Lieu de travail : Paris, 32, rue Charlot
– Salaire : 18 000 F bruts mensuels sur 13 mois.
– Durée : 39 heures, réparties à votre convenance, sur une plage horaire de 8 heures à 20 heures.
– Date de votre entrée : 10 octobre 1997
– Période d'essai : 3 mois à dater du premier jour d'activité
– Convention collective applicable : convention collective de la chimie.
Le présent document vaut engagement ferme et définitif de votre recrutement par notre société.
On peut ajouter, mais c'est facultatif :
Toutefois, lors de votre entrée en fonction, notre direction du personnel soumettra à votre signature un contrat de travail en bonne et due forme, reprenant en les précisant ces différentes conditions.

Charles-Marie LEFORT
Président du conseil
d'administration

Modèle 88

Contrat de travail à durée indéterminée

ENTRE
– La société ... *(dénomination)* au capital social de ... F, dont le siège social est situé ... *(adresse)*
immatriculée au Registre du commerce et des sociétés de ... *(lieu)* sous le numéro ...
Représentée par M. ... *(nom, prénom et qualité, par exemple : Monsieur Baudouin MAURY, gérant)*
D'une part

ET

– Monsieur Jean-Claude DUR *(nom et prénom du futur salarié)*
demeurant ... *(adresse)*
de nationalité française
n° de Sécurité sociale : ...
demeurant à ...
D'autre part

IL A ÉTÉ ARRETÉ ET CONVENU CE QUI SUIT :
Article 1 – Engagement
La société ... *(nom)* engage M. ..., pour une durée illimitée, en qualité de ... *(fonction)* au coefficient ... *(si cela existe)*, à compter du ... *(date)* sous réserve des résultats de la visite médicale d'embauche.
M. ... déclare être à ce jour libre de tout engagement.

Article 2 – Fonction
M. ... est engagé en qualité de ..., au coefficient ...
Il sera chargé de ... *(décrire les fonctions)*.

Article 3 – Période d'essai

Le présent contrat est conclu pour une durée indéterminée à compter du …

Il ne deviendra définitif qu'à l'issue d'une période d'essai de … mois, conformément à la convention collective.

Durant la période d'essai, chacune des parties pourra, à tout moment, rompre le présent contrat de travail sans préavis ni indemnité.

Article 4 – Horaires de travail

Les horaires de travail sont ceux habituellement pratiqués dans l'entreprise, selon un système individualisé d'heures de travail situées entre 8 heures et 20 heures.

Article 5 – Lieu de travail

M. … exercera ses fonctions au siège social de la société … située à …

Toutefois, en fonction des nécessités de service, l'employeur pourra demander à M. … d'effectuer des déplacements temporaires. Ces déplacements seront indemnisés conformément au barème interne.

En outre, M. … s'engage à accepter toute mutation géographique à l'intérieur du territoire national.

Article 6 – Rémunération

M. … percevra un salaire mensuel brut de … auquel s'ajouteront … *(mentionner les éventuelles primes).*

Article 8 – Congés payés

M. … bénéficiera des congés payés légaux, soit actuellement trente jours ouvrables par période du 1er juin au 31 mai.

La période de prise des congés est déterminée d'un commun accord entre la direction et M. …, compte tenu des nécessités du service.

Article 9 – Exclusivité et non-concurrence
M. ... s'engage à consacrer son activité et son temps exclusivement à la société ...
M. ... s'engage à respecter une stricte obligation de discrétion sur tout ce qui concerne l'activité de l'entreprise.
Tout manquement à cette obligation au cours du présent contrat serait constitutif d'une faute grave pouvant justifier un licenciement.

Article 10 – Rupture du contrat
Le présent contrat de travail pourra être rompu par chacune des parties, conformément aux dispositions légales et conventionnelles en vigueur.
Le présent contrat est établi en deux exemplaires, soit un pour chacune des parties.

Fait à ..., le ...

La société ... par son gérant, Baudouin MAURY	Le salarié, Jean-Claude DUR

Modèle 89

Délégation de pouvoirs consentie à un cadre

La délégation est faite par le représentant légal de la société. Elle peut porter sur un domaine précis (hygiène et sécurité, matière bancaire, gestion du personnel) ou être générale. Elle doit être écrite.

En cas de litige (par exemple : un accident dû à une violation des règles de sécurité), l'employeur pourra démontrer qu'il avait délégué son pouvoir à un « spécialiste ».

DÉLÉGATION DE POUVOIR

Je soussigné Marc-Antoine DUMAS *(nom et prénom du représentant légal de la société)* demeurant ... *(adresse personnelle)*, agissant en qualité de ... *(par exemple : gérant)* de la société ... *(nom)*, société à responsabilité limitée, au capital de ... F, dont le siège social est situé ... *(adresse)*, immatriculée au Registre du commerce et des sociétés de ... *(lieu)* sous le numéro ...

Déclare, par la présente, constituer pour mon délégataire spécial Monsieur Fabrice COURTOIS *(nom et prénom du salarié)* demeurant ... *(adresse)* auquel je donne pouvoirs pleins et permanents de ... *(nature de la mission, par exemple : veiller au respect des règles d'hygiène et de sécurité applicables sur les chantiers; ou encore : assurer le fonctionnement des comptes bancaires, signer et endosser les chèques et effets de commerce...)*.

En foi de quoi, il a été établi la présente délégation pour une durée illimitée *(ou pour une durée d'un an, de deux ans...)* à compter du ... *(date)* et soumise aux lois en vigueur et notamment les dispositions des articles 1984 à 2010 du Code civil.

Fait, à ...,
le ...
en deux originaux

Le délégataire,
Fabrice Courtois

(faites précéder la signature de cette formule écrite de la main du délégataire : « Bon pour acceptation d'une délégation à durée illimitée »)

Le délégant,
Marc-Antoine DUMAS, gérant

(faites précéder la signature écrite de la main du délégant : « Bon pour délégation »)

Modèle 90

Contrat de travail à durée déterminée conclu pour le remplacement d'un salarié absent, avec un terme précis

CONTRAT DE TRAVAIL
À DURÉE DÉTERMINÉE

ENTRE
– La société ... *(dénomination)* au capital social de ... F, dont le siège social est situé ... *(adresse)*
immatriculée au Registre du commerce et des sociétés de ... *(lieu)* sous le numéro ...
Représentée par M. ... *(nom, prénom et qualité, par exemple : Madame Marie DUAL, gérante),*
d'une part

ET

– Monsieur Jean-Patrick RENART *(nom et prénom du futur salarié)*
demeurant ... *(adresse)*
de nationalité française
n° de Sécurité sociale :
D'autre part

Il a été arrêté et convenu ce qui suit :
Article 1 – Engagement
Le présent contrat est soumis aux dispositions de l'article L 122-1-1 du Code du travail.
La Société ... *(nom)* engage M. ..., en qualité de ... *(fonctions)* au coefficient de ... *(si cela existe)* sous réserve des résultats de la visite médicale d'embauche.
M. ... déclare être à ce jour libre de tout engagement.

Article 2 – Objet du contrat
Le présent contrat de travail est conclu en vue d'assurer le remplacement de M. ... *(obligatoire : nom et prénom du salarié à remplacer)*, employé dans la société en qualité de ... *(nature exacte des fonctions)*, absent pour cause de ... *(obligatoire : indiquez le motif d'absence du salarié, par exemple, maladie, congés payés, maternité...)*.

Article 3 – Emploi
M. ... est engagé en qualité de ..., coefficient de ..., pour exercer les fonctions suivantes : ... *(attention : ces fonctions doivent être les mêmes que celles du salarié remplacé)*.
La durée du travail est de ... heures par semaine.
Le présent contrat est soumis aux dispositions de la convention collective ...

Article 4 – Lieu de travail
Le présent contrat sera exécuté au siège social de la société situé ... *(prévoir éventuellement une clause de mobilité)*.

Article 5 – Durée du contrat
Le présent contrat est conclu pour une durée déterminée de ... semaines *(ou mois)*.
Il prend effet à compter du ..., à ... heures.
Il prendra automatiquement fin à l'échéance prévue le ... *(date)*.
Ce contrat pourra être renouvelé une fois dans les conditions qui seront précisées par un avenant signé des deux parties.

Article 6 – Période d'essai
Il est prévu une période d'essai de ... au cours de laquelle chacune des parties pourra mettre fin au contrat sans préavis ni indemnité.

Après expiration de la période d'essai, ce contrat ne pourra être rompu avant l'arrivée du terme, hormis cas de faute grave du salarié ou de force majeure, ou d'un commun accord écrit des deux parties.

Article 7 – Rémunération
M. ... percevra un salaire mensuel brut de ... F, auquel des primes de ... pour un horaire de travail de ... heures par semaine, soit 169 heures par mois.

Article 8 – Congés payés
M. ... a droit aux congés payés. A l'issue du présent contrat, il lui sera versé une indemnité compensatrice de congés payés correspondant aux droits acquis et non utilisés.
Cette indemnité ne sera pas versée dans les deux cas suivants :
– poursuite, à l'issue du présent contrat, de la relation de travail par un contrat de travail à durée indéterminée;
– rupture du présent contrat pour faute lourde du salarié.

Article 9 – Avantages sociaux
M. ... sera affilié à la caisse de retraite complémentaire ... *(nom et adresse).*

Article 10 – Fin du contrat
A la fin de son contrat, M. ... percevra une indemnité de fin de contrat, conformément aux dispositions légales en vigueur.
Son montant sera égal à 6 % de la rémunération totale brute perçue par M. ... pendant l'exécution du présent contrat.

Article 11 – Exclusivité et non-concurrence
M. ... s'engage à consacrer son activité et son temps exclusivement à la société ...
M. ... s'engage à respecter une stricte obligation de discrétion sur tout ce qui concerne l'activité de l'entreprise.
Tout manquement à cette obligation au cours du présent contrat serait constitutif d'une faute grave pouvant justifier un licenciement.
Le présent contrat est établi en deux exemplaires, soit un pour chacune des parties.

Fait à ..., le ...

La société ...
par son gérant, M. ...

Le salarié,
M. ...

Modèle 91

Certificat de travail délivré au salarié quittant l'entreprise

CERTIFICAT DE TRAVAIL

Je soussigné Maurice LAROU, agissant en qualité de … *(indiquez le titre, par exemple : gérant, chef du personnel…)* de la société … *(nom)*,
certifie que M. … *(nom et prénom du salarié)* demeurant … *(adresse)* a été employé dans notre établissement
en qualité de … *(fonction exercée par le salarié, par exemple : vendeuse, chimiste, aide-comptable, secrétaire, livreur…)*
du … *(date de début de l'activité)* au … *(que le préavis ait été ou non effectué, indiquez la date de fin du contrat de travail).*
M. … *(nom et prénom du salarié)* nous quitte ce jour, libre de tout engagement.

Fait à …, le …

Signature de celui qui a établi
le certificat

(En cas d'emplois successifs, précisez les dates exactes des périodes d'emploi.)

Modèle 92

Reçu pour solde de tout compte

Établi en deux exemplaires et obligatoirement daté, il est remis au salarié qui quitte définitivement l'entreprise, quelle qu'en soit la raison.

Il doit obligatoirement indiquer le « délai de forclusion », c'est-à-dire le délai pendant lequel il ne peut plus être dénoncé. Il doit comporter l'expression « pour solde de tout compte » entièrement écrite de la **main** du salarié, suivie de sa signature.

Dans une affaire où cette mention figurait à la machine mais n'avait pas été écrite de la main du salarié, les juges ont estimé que la dénonciation pouvait intervenir alors que le délai de deux mois était expiré. En clair, si cette mention manuscrite est absente, le document n'a pas la valeur juridique d'un reçu pour solde de tout compte.

REÇU POUR SOLDE DE TOUT COMPTE

Je soussignée Marina CLARY *(nom et prénom du salarié)* demeurant ... *(adresse du salarié)* reconnais avoir reçu de la société ... *(nom de l'employeur)* pour solde de tout compte la somme de ... F *(montant total en chiffres et en lettres, par exemple : soixante-deux mille francs, 62 000 F)* en paiement des salaires, accessoires du salaire, et toutes indemnités quels qu'en soient la nature et le montant, qui m'étaient dus au titre de l'exécution et de la rupture de mon contrat de travail.

Je suis informée qu'en vertu des dispositions de l'article L 122-17 du Code du travail je peux dénoncer le présent reçu dans un délai de **deux mois** à compter de ce jour et que, passé ce délai, la forclusion m'empêchera de le contester.
Le présent reçu pour solde de tout compte a été établi en deux exemplaires dont un m'a été remis.

Fait à ..., le...
Signature et cachet de la société

Pour solde de tout compte : cette mention doit être écrite de la main du salarié

Date et signature du
salarié

Modèle 93

Rupture d'un contrat de travail à la fin ou pendant la période d'essai

La période d'essai ne se présume pas. Si elle n'est pas prévue par la convention collective ou si l'entreprise ne relève d'aucune convention collective, elle doit être prévue par un écrit (contrat de travail, lettre...). Pendant la période d'essai, l'employeur comme le salarié peut cesser la relation de travail sans avoir à se justifier. Il n'est pas obligatoire de notifier la fin de la période d'essai par écrit, mais cela est préférable pour éviter ensuite les problèmes de preuve.

Restez toujours courtois dans vos écrits adressés au salarié.

Nom et prénom du salarié
Adresse

Date

Recommandé avec avis de réception

Madame,

Le ... *(date)*, vous avez été embauchée en qualité de ... *(fonction)* avec une période d'essai de ... *(délai prévu par la convention collective, par exemple : un mois, trois mois)*.
Or, cet essai n'est pas concluant.
En conséquence, nous sommes contraints de mettre fin à votre contrat de travail. Vous cesserez votre activité le ... *(indiquez la date du dernier jour de travail)*.
Cette rupture intervenant pendant la période d'essai, il ne vous est due aucune indemnité.
Notre service comptable vous fera parvenir à la fin du mois votre bulletin de salaire ainsi que votre reçu pour solde de tout compte et votre certificat de travail.

Nous vous prions d'agréer, Madame, nos salutations distinguées.

Pierre-Jean LINOT
Chef du personnel

Modèle 94

Prolongation de la période d'essai d'un salarié

Nom et prénom du salarié
Adresse

Date

Recommandé avec avis de réception
Objet : renouvellement de la période d'essai

Monsieur (ou Madame),

Le ... *(date)*, vous avez été engagé(e) en qualité de ... *(fonction)* avec une période d'essai de ... mois, qui expire le ... *(date prévue de la fin de la période d'essai)*.

Or, comme vous l'a indiqué M. ... *(nom et titre, par exemple : Madame Allard, chef du personnel)*, votre essai n'est pas concluant.

Nous souhaitons cependant vous offrir l'opportunité de démontrer votre aptitude à remplir votre fonction.

En conséquence, et conformément à l'article ... de la convention collective ... *(nom de la convention applicable à votre entreprise; ou encore : à la clause 8 de votre contrat de travail)*, nous vous confirmons que votre période d'essai est prolongée pour une durée de ... *(délai, par exemple un mois; attention certaines conventions prévoient une période d'essai globale à ne pas dépasser)*, c'est-à-dire jusqu'au ... *(date présumée de la fin de cette seconde période d'essai)*.

Nous vous prions de croire, Monsieur (ou Madame), à nos salutations distinguées.

Yves JUDE
Gérant

Modèle 95

Avertissement à un salarié à la suite d'un fait fautif (retards, mauvaise exécution du travail, absences répétées...)

Selon l'article L 122-41 du Code du travail, l'avertissement doit être motivé et fait par écrit. Il ne peut être fait que si le règlement intérieur le prévoit.

La lettre peut être envoyée en recommandé avec avis de réception ou remise en main propre au salarié contre décharge.

Nom et prénom du salarié
Adresse

Date

Recommandé avec avis de réception
ou remise en main propre contre décharge

Madame (ou Monsieur),

Malgré nos observations verbales concernant ... *(indiquez ici les agissements récriminés : retards, absences fréquentes non autorisées, mauvaise exécution du travail...)*, nous ne constatons aucune amélioration de votre part comme le prouvent les faits suivants : ... *(exposez ces faits et précisez la date)*.
En conséquence, par la présente lettre, nous vous adressons un avertissement qui, nous l'espérons, vous fera changer d'attitude.

Veuillez agréer, Madame (ou Monsieur), mes salutations distinguées.

Signature de l'employeur

Modèle 96

Convocation d'un salarié à un entretien préalable à un licenciement pour motif personnel, dans une entreprise possédant des représentants du personnel

Selon l'article L 122-14 du Code du travail, l'employeur qui envisage de licencier un salarié doit convoquer le salarié par lettre recommandée avec avis de réception ou par lettre remise en main propre contre décharge en lui indiquant l'objet de la convocation. Au cours de cet entretien, vous devez lui indiquer le motif de la décision envisagée et recueillir ses explications.

Nom et prénom du salarié
Adresse

Date

Recommandé avec avis de réception
ou remise en main propre contre décharge

Madame (ou Monsieur),

Nous sommes au regret de vous informer que nous envisageons à votre égard une mesure de licenciement.
En conséquence, et conformément aux dispositions de l'article L 122-14 du Code du travail, nous vous convoquons à un entretien au cours duquel nous entendrons vos explications.

Vous voudrez donc bien vous présenter *(par exemple)*
le **vendredi 10 octobre 1997 à 11 heures**
afin d'y avoir un entretien avec M. ... *(nom et prénom de la personne qui recevra le salarié, par exemple, Monsieur BOLOU, chef du personnel).*
Nous vous précisons que vous pouvez vous faire assister lors de cet entretien par toute personne de votre choix appartenant à notre entreprise, ou par un représentant du personnel.

Veuillez agréer, Madame (ou Monsieur), mes salutations distinguées.

Luc BILOT
Directeur général

Modèle 97

Convocation d'un salarié à un entretien préalable à un licenciement pour motif personnel, dans une entreprise ne possédant pas de représentants du personnel

S'il n'existe pas de représentants du personnel (délégués du personnel, comité d'entreprise, délégation unique ou représentants syndicaux), l'entretien ne peut avoir lieu moins de 5 jours ouvrables (le dimanche et les jours fériés ne comptent pas) après la présentation de la lettre par La Poste au salarié ou sa remise en main propre. Dans le doute, comptez large.

Nom et prénom du salarié
Adresse

Date

Recommandé avec avis de réception
ou remise en main propre contre décharge

Monsieur *(ou Madame),*

Nous sommes au regret de vous informer que nous envisageons à votre égard une mesure de licenciement.
En conséquence, et conformément aux dispositions de l'article L 122-14 du Code du travail, nous vous convoquons à un entretien au cours duquel nous entendrons vos explications.

Vous voudrez donc bien vous présenter *(par exemple)*
le **jeudi 16 octobre 1997 à 16 heures**
afin d'y avoir un entretien avec M. ... *(nom et prénom de la personne qui recevra le salarié, par exemple : Monsieur BOLOU, chef du personnel).*
Nous vous précisons que vous pouvez vous faire assister lors de cet entretien par toute personne de votre choix appartenant à notre entreprise ou par un conseiller inscrit sur une liste spéciale. Vous pouvez vous procurer cette liste auprès de la mairie de ... *(adresse de la mairie la plus proche du siège social)* ou auprès des services de l'inspection du travail situés ... *(adresse de l'inspection du travail dont dépend le siège social).*

Veuillez agréer, Monsieur (ou Madame), mes salutations distinguées.

Lucie TUC
Gérante

Modèle 98

Notification d'un licenciement pour motif personnel

Selon l'article L 122-14-1 du Code du travail, la lettre de licenciement ne peut être envoyée que le surlendemain du jour où l'entretien a eu lieu, et en recommandée avec avis de réception. La date de présentation de cette lettre fixe le point de départ du préavis.

Un délai minimal de réflexion d'un **jour franc** doit s'écouler entre la date de l'entretien et la date d'expédition de la lettre de licenciement.

Exemple : entretien le lundi, l'envoi de la lettre peut se faire à partir de mercredi.

Nom et prénom du salarié
Adresse

Date

Recommandé avec avis de réception

Madame (ou Monsieur),

Comme suite à notre entretien du ... *(date),* nous avons le regret de vous notifier par la présente votre licenciement pour le *(ou les)* motif*(s)* suivant*(s)* : ... *(précisez exactement les raisons qui motivent ce licenciement).*
Votre préavis, d'une durée de ... *(indiquez la durée),* commence à courir le ... *(date)* et prendra fin le ... *(date).*

Veuillez agréer, Madame (ou Monsieur), nos salutations distinguées.

Georges GROS
Chef du personnel

Modèle 99

Mise à pied d'un cadre pour harcèlement sexuel d'une collègue

En tant qu'employeur, vous devez prévenir et réprimer les actes de harcèlement sexuel.

Avant de prendre la sanction, vous devez convoquer le salarié à un entretien préalable. Pour cette convocation, vous pouvez utiliser les modèles 96 et 97 (pages 294 et 296), sans omettre de préciser : « nous envisageons de prendre une sanction disciplinaire à votre égard ».

Voici la lettre à envoyer en recommandé avec avis de réception après l'entretien.

M. Patrick GRABOUT
Adresse

Date

Recommandé avec avis de réception

Monsieur,

Comme nous vous l'avons indiqué au cours de l'entretien que nous avons eu le ..., en présence de ... *(nom)*, votre subordonnée Madame Agnès PETIT se plaint de vos avances verbales et physiques permanentes.
Les propos de Madame PETIT ont été corroborés par d'autres témoignages.

Votre comportement constitue un acte de harcèlement sexuel tombant sous le coup des dispositions des articles L 122-46 du Code du travail et 222-33 du Nouveau Code pénal.

En outre, votre attitude perturbe gravement le bon fonctionnement du service que vous dirigez.
En conséquence, nous nous voyons contraints de vous appliquer une sanction disciplinaire temporaire, sous forme d'une mise à pied de huit jours.
Elle commencera le ... *(date)* et prendra fin le ... *(date)*.
Ces journées de mise à pied entraîneront une retenue sur votre salaire du mois de ...

Veuillez agréer, Monsieur, nos salutations distinguées.

Lucile RICHEL
Gérante

Modèle 100

Demande d'autorisation à l'inspecteur du travail de licencier pour motif personnel un délégué du personnel

Monsieur ...
Inspecteur du travail
Adresse

Date

Recommandé avec avis de réception

Monsieur l'Inspecteur,

Monsieur ... *(nom et prénom)*, né le ..., demeurant ... *(adresse)*, occupe les fonctions de ... dans notre entreprise depuis le ... *(date)*. Il est titulaire d'un mandat de délégué du personnel depuis le ... *(date)*.

Malgré des mises en garde répétées *(ou sanctions)*, M. ... continue d'avoir un comportement préjudiciable à la bonne marche de l'entreprise. Cette situation nous oblige à envisager son licenciement motivé par les faits suivants : ... *(énumérez les faits mais sans tomber dans l'injure, la polémique ou les critiques personnelles et subjectives)*.
M. ... a été convoqué par lettre recommandée avec avis de réception du ... *(date)* à un entretien préalable, qui s'est déroulé le ... *(date)* en présence de ...

Les explications recueillies au cours de cet entretien n'ont pas permis de modifier notre appréciation des faits.
En conséquence, nous vous présentons la présente demande d'autorisation de licenciement de M. ... pour motif personnel.

Nous restons à votre disposition afin de vous fournir tout complément d'information nécessaire à l'instruction de notre demande.

Nous vous prions d'agréer, Monsieur l'Inspecteur, nos salutations distinguées.

Pierre-Yves DROUET
Gérant

Modèle 101

Recours hiérarchique contre le refus de l'inspecteur du travail d'autoriser le licenciement d'un délégué du personnel

Ce recours est à introduire dans les deux mois suivant la notification de refus. Il doit être daté et signé et indiquer les motifs pour lesquels l'annulation de la décision de l'inspecteur est demandée. Joindre des pièces justificatives (témoignages des salariés, constats...) s'il en existe.

Madame le Ministre du Travail
Ministère du Travail et de
la Solidarité
15, rue de Grenelle,
75015 PARIS

Date

Recommandé avec avis de réception
Objet : recours hiérarchique

Madame le Ministre du Travail,

Le ..., j'ai introduit auprès de Monsieur l'inspecteur du travail de ..., section ..., une demande d'autorisation de licencier un*(e)* délégué*(e)* du personnel.
Une notification de refus, signée de Monsieur l'inspecteur du travail, m'a été adressée le ... *(date de réception de la lettre recommandée)*.
En conséquence, et conformément à l'article R 436-6 du Code du travail, j'ai l'honneur de porter devant vous un recours hiérarchique en annulation de cette décision, dont vous trouverez copie ci-jointe.

Ma demande d'autorisation concernait M. ... *(nom et prénom du délégué),* demeurant ..., né le ..., exerçant les fonctions de ..., et titulaire de son mandat électif depuis le ... *(date).*
Les motifs qui m'ont amené à envisager le licenciement de M. ... *(nom et prénom)* sont particulièrement graves.
En effet, ... *(expliquez vos raisons, par exemple : ce délégué du personnel, de par son caractère violent, fait peser une menace sur le reste du personnel...).*
En conséquence, je conclus à l'annulation de la décision de refus de Monsieur l'inspecteur du travail.
A l'appui de la présente demande, je vous joins un dossier complet.

Je vous prie de croire, Madame le Ministre du Travail, à l'expression de ma très haute considération.

Baudouin MALET
Président du conseil d'administration

Modèle 102

Convocation à un entretien préalable à un licenciement pour motif économique individuel avec convention de conversion

L'employeur qui doit licencier pour motif économique un salarié, ayant au moins deux ans d'ancienneté, est tenu de lui proposer d'adhérer à une convention de conversion.

Ces conventions permettent au salarié licencié de bénéficier, dans les six mois suivant son licenciement, d'un statut très favorable auprès des ASSEDIC.

Nom et prénom du salarié
Adresse

Date

Recommandé avec avis de réception
ou remise en mains propres contre décharge

Monsieur *(ou Madame),*
Nous sommes au regret de vous informer que nous envisageons à votre égard une mesure de licenciement pour motif économique.
En conséquence, et conformément aux dispositions de l'article L 122-14 du Code du travail, nous vous prions de bien vouloir vous rendre à un entretien préalable
le **lundi 3 novembre 1997 à 15 heures**
afin d'y avoir un entretien avec M. ... *(nom et prénom de la personne qui recevra le salarié, par exemple : Monsieur GLOSET, chef du personnel).*

Nous vous précisons que vous pouvez vous faire assister lors de cet entretien par toute personne de votre choix appartenant à notre entreprise ou par un conseiller inscrit sur une liste spéciale. Vous pouvez vous procurer cette liste auprès de la mairie de ... *(adresse de la mairie la plus proche du siège social)* ou auprès des services de l'inspection du travail situés ... *(adresse de l'inspection du travail dont dépend le siège social).*
Nous vous précisons, en outre, que vous avez la possibilité d'adhérer à une convention de conversion.
Lors de cet entretien, nous vous remettrons le dossier établi par les ASSEDIC précisant les modalités d'application d'une convention de conversion.
Vous disposerez d'un délai de 21 jours, à compter de la date de l'entretien, pour nous indiquer votre décision concernant cette proposition d'adhérer à une telle convention.
Votre réponse devra donc nous parvenir au plus tard le 24 novembre 1997.

Veuillez agréer, Monsieur *(ou Madame)*, mes salutations distinguées.

Lorette MALE
Gérante

Modèle 103

Notification d'un licenciement pour motif économique avec convention de conversion

Nom et prénom du salarié
Adresse

Date

Recommandé avec avis de réception

Madame (ou Monsieur),

Comme suite à notre entretien du ... *(date)*, nous avons le regret de vous notifier par la présente votre licenciement pour motif économique.
Lors de cet entretien, nous vous avons remis un dossier d'information sur la convention de conversion.

Vous avez jusqu'au ... *(date)* pour demander ou refuser votre adhésion à la convention de conversion.
Si vous refusez cette adhésion, la présente lettre constituera la notification de votre licenciement et votre préavis d'une durée de ... commencera à courir le ... *(date)* pour prendre fin le ... *(date)*.

Au cours de ce préavis, vous disposerez, conformément à la convention collective ... *(par exemple : convention collective de la chimie)* de ... heures par jour pour rechercher un nouvel emploi.

Si, avant la fin du délai fixé, vous décidez d'adhérer à la convention de conversion, la présente notification deviendra sans objet et la rupture de votre contrat interviendra automatiquement d'un commun accord.

Que vous décidiez ou non d'adhérer à une convention de conversion, vous bénéficiez d'une priorité de réembauche en raison du motif économique de votre licenciement.

Cette priorité s'applique pendant un an, à dater de la rupture de votre contrat de travail, dans la mesure où vous nous faites part de votre intention d'user de cette priorité dans un délai de quatre mois suivant la rupture de votre contrat.

Veuillez agréer, Madame (ou Monsieur), nos salutations distinguées.

Noël GOSSET
Chef du personnel

Modèle 104

Information du directeur départemental du travail dans les huit jours suivant l'envoi de la lettre de licenciement pour motif économique à un ou plusieurs salariés

Monsieur le Directeur
départemental du travail de ...
Adresse

Date

Recommandé avec avis de réception

Monsieur le Directeur départemental du travail,

Conformément à l'article R 321-1 du Code du travail, je vous informe que le ... *(date)*, j'ai notifié un licenciement pour motif économique à M. ... *(nom et prénom du ou des salariés licenciés)* demeurant ..., de nationalité ..., né le ..., de sexe ... qui occupait un emploi de ...
La société que je dirige a une activité de ... et un effectif salarié de ...

Veuillez agréer, Monsieur le Directeur départemental du travail, l'expression de ma considération distinguée.

Denise VERDI
Gérante

Modèle 105

Transaction conclue avec un salarié quittant l'entreprise

La transaction permet de se séparer sans recours à la justice. Elle a une valeur juridique et ne peut pas être remise en cause par les signataires, hormis le cas où les concessions ont été faites exclusivement par l'une des parties.

Une transaction solide doit comporter des concessions réciproques de chacun des signataires.

Si la transaction a lieu dans le cadre d'un licenciement, il faut que celui-ci ait été réalisé avant la signature de l'accord transactionnel.

ACCORD TRANSACTIONNEL

Entre les soussignés
– La société ... *(nom)*
dont le siège social est situé ... *(adresse)*
ci-après dénommée « la Société », représentée par Monsieur Marc DURIET, agissant en qualité de gérant
D'une part,
ET
– Monsieur Jean-Denis BEUL
demeurant 12 Montaigne 29000 MORLAIX
D'autre part.

Il a été préalablement exposé ce qui suit :
(Expliquez les faits, sans polémique et évitez certains détails.)
Monsieur Jean-Denis BEUL est employé par la Société en qualité de ... *(par exemple : directeur comptable)* depuis ... années. La Société, ayant envisagé de licencier Monsieur BEUL, l'a convoqué à un entretien qui s'est déroulé le ... *(date)*. Au cours de cet entretien, Monsieur BEUL a contesté le caractère réel et sérieux du licenciement envisagé et annoncé son intention de saisir les juridictions compétentes.

Après négociation, il a été décidé ce qui suit :
Afin d'éviter une procédure dont l'aspect public peut nuire aux deux parties, une discussion s'est engagée.
Après de longues discussions et négociations et au prix de concessions réciproques, les parties ont rapproché leurs points de vue et sont convenues de régler à l'amiable le différend qui les oppose, conformément aux articles 2044 à 2052 du Code civil.
Monsieur BEUL accepte de quitter la Société en remettant sa démission *(ou encore : accepte que son départ soit présenté aux tiers comme un licenciement).*
En contrepartie, la Société s'engage à lui verser une indemnité transactionnelle globale de ... F *(montant en chiffres et en lettres),* correspondant à tous salaires, accessoires de salaires, indemnités, remboursements... auxquels Monsieur BEUL pourrait prétendre.
Les parties signataires renoncent irrévocablement à toute action, indemnité ou instance de quelque nature que ce soit, qui pourrait résulter de l'exécution et de la rupture du présent contrat de travail.
Chaque partie se considère comme remplie de ses droits de manière définitive et irrévocable et admet, conformément à l'article 2052 du Code civil, que la présente transaction aura entre les soussignés l'autorité de la chose jugée en dernier ressort.
Établi en deux exemplaires, un pour chaque partie, le ... *(date).*
(Le représentant de la société, tout comme le salarié, doit écrire à la main, avant de signer la formule suivante « Lu et approuvé. Bon pour transaction irrévocable et désistement de tous droits, actions, et instances. Bon pour renoncement à tous recours ».)

Pour la Société
son gérant,
Marc DURIET

Le salarié,
Jean-Denis BEUL

Modèle 106

Refus de libérer avant le terme prévu un salarié sous contrat à durée déterminée

Madame Marine TAL
Adresse

Date

Recommandé avec avis de réception

Madame,

Nous avons reçu votre lettre recommandée avec avis de réception en date du ..., nous indiquant votre souhait de rompre avant terme votre contrat à durée déterminée, qui doit expirer le ... *(date).*

Nous comprenons vos motifs, mais nous vous rappelons qu'un contrat à durée déterminée ne peut faire l'objet d'une rupture anticipée que s'il y a commun accord des deux parties ou faute grave de l'une d'elles.
En conséquence, nous refusons la rupture anticipée que vous sollicitez, car ce départ avant terme entraînerait un trouble sérieux dans le fonctionnement du service qui vous emploie.

Si, malgré notre refus, vous décidiez néanmoins de rompre votre contrat de travail, vous devez savoir que nous nous réservons le droit de vous demander réparation du trouble subi par notre établissement.

Veuillez agréer, Madame, nos salutations distinguées.

Signature

Modèle 107

Note (à afficher) annonçant l'élection des délégués du personnel

Tout employeur (société, entreprise individuelle, association...) ayant un effectif d'au moins 11 salariés doit avoir des délégués du personnel.

Cette note est à afficher même si vous savez pertinemment qu'il n'y a aucune organisation syndicale dans votre entreprise.

Avis au personnel
ORGANISATION DE L'ÉLECTION DES DÉLÉGUÉS DU PERSONNEL

Conformément à la législation en vigueur, le personnel est avisé de l'organisation d'élections en vue de procéder à la désignation *(ou au renouvellement si le mandat des délégués arrive à échéance)* des délégués du personnel.

La date envisagée pour le premier tour est fixée au ... *(date exacte, par exemple : le mardi 18 novembre 1997 à 15 heures).*

Les délégués du personnel sont élus par un collège unique comprenant l'ensemble du personnel *(attention : ne mettez cette phrase que si l'effectif est inférieur à 25 salariés).*

Il est rappelé qu'au premier tour seules les organisations syndicales représentatives sont habilitées à présenter des candidats.

Patrick GRAUGNON
Chef du personnel

Modèle 108

Note à afficher appelant les organisations syndicales à présenter leurs candidats au premier tour

Cette procédure est obligatoire même s'il n'y a aucun syndicat dans l'entreprise.

Dès ce moment, vous devez constituer le bureau de vote. Il n'y a pas de règles légales. Vous pouvez, par exemple, choisir comme membre du bureau les deux salariés les plus âgés de l'entreprise et le plus jeune. Le plus âgé sera le président du bureau.

AVIS AUX ORGANISATIONS SYNDICALES

Des élections sont organisées en vue de procéder à la désignation *(ou au renouvellement)* des délégués du personnel. La date envisagée pour le premier tour est fixée au … *(date précise et heure).*
Les organisations syndicales représentatives sont invitées à discuter l'accord préélectoral le … *(date et heure)* et à établir la liste de leurs candidats au plus tard le … *(date).*

Patrick GRAUGNON
Chef du personnel

Modèle 109

Procès-verbal de carence du premier tour, constatant qu'aucune organisation syndicale ne s'est manifestée

PROCÈS-VERBAL DE CARENCE DU PREMIER TOUR

Nous soussignés membres du bureau de vote ... *(indiquez leurs nom et prénom)* certifions ce qui suit.
Le premier tour des élections des délégués du personnel a été fixé au ... *(date)* et le personnel en a été informé par voie d'affichage.
Nous avons constaté qu'aucune candidature n'a été déposée par une organisation syndicale représentative.
En conséquence, le premier tour de scrutin n'a pu avoir lieu.
Il sera procédé à un second tour dans un délai de quinze jours, soit le ... *(date prévue)*.

Fait à ..., le ...
Signature des membres
du bureau

Modèle 110

Lettre d'envoi à l'inspecteur du travail du procès-verbal de carence du premier tour

Madame ...
Inspecteur du travail
Adresse

Date

Recommandé avec avis de réception

Madame l'Inspecteur du travail,

Nous vous prions de bien vouloir trouver ci-joint procès-verbal de carence du premier tour des élections des délégués du personnel qui n'a pu se tenir, faute de candidatures.
Un second tour est prévu pour le ... *(date)*.

Veuillez agréer, Madame l'Inspecteur du travail, l'expression de nos salutations distinguées.

Patrick GRAUGNON
Chef du personnel

PJ : 1

Modèle 111

Appel à candidatures pour le second tour de l'élection des délégués du personnel

SECOND TOUR DE L'ÉLECTION DES DÉLÉGUÉS DU PERSONNEL

Appel à candidatures

Aucune organisation syndicale représentative ne s'étant manifestée, le premier tour des élections n'a pu avoir lieu à la date prévue. Il est donc fixé un second tour qui se déroulera le ... *(date)*, de ... à ... *(par exemple : de 14 heures à 18 heures).*

Les salariés présents dans l'entreprise à la date du ... *(un an d'ancienneté)* et désireux de présenter leur candidature sont invités à le faire avant ... *(date)* auprès du service du personnel.

Fait à ..., le ...
Patrick GRAUGNON
Chef du personnel

Modèle 112

Procès-verbal de carence du second tour de l'élection des délégués du personnel

PROCES-VERBAL DE CARENCE DU SECOND TOUR

Les membres du bureau ... *(noms et prénoms)* constatent que le second tour de scrutin fixé au ... *(date)* à ... heures n'a pu se dérouler car aucune candidature n'a été déposée. En conséquence de quoi, le présent procès-verbal de carence est dressé.

Fait à ..., le ...
Signature des membres du bureau

Modèle 113

Modèle de règlement intérieur

Il est obligatoire dans les entreprises ayant un effectif d'au moins 20 salariés. En dessous de cet effectif, le règlement intérieur est facultatif.

RÈGLEMENT INTÉRIEUR DE LA SOCIÉTÉ ...

I. DISPOSITIONS GÉNÉRALES

II. RÈGLES GÉNÉRALES ET PERMANENTES
Règles relatives à l'hygiène et à la sécurité
Règles relatives à la discipline

III. SANCTIONS
Nature et échelle des sanctions
Garanties de procédure

IV. FORMALITÉS
Date d'entrée en vigueur : le ...

I. DISPOSITIONS GÉNÉRALES

Objet

Le présent règlement intérieur est établi conformément à l'article L 122-33 du Code du travail. Il s'applique à l'ensemble des salariés, apprentis et stagiaires, sans restriction ni réserve.

Il fixe les dispositions relatives :

- à l'application de la réglementation en matière d'hygiène et de sécurité;

- aux règles générales et permanentes relatives à la discipline;
- à l'abus d'autorité en matière sexuelle;
- aux droits et garanties des salariés dans le cadre de la procédure disciplinaire.

Il s'applique à l'ensemble des locaux de l'entreprise et à ses annexes, soit lieux de travail, restaurant d'entreprise, parking...

Notes de service

Le règlement intérieur est complété par des notes de service établies selon la procédure de la loi du 4 août 1982, dès lors qu'elles fixent des règles de caractère permanent et valables pour tous les salariés dans les matières qui sont celles du règlement intérieur.

Personnes concernées

Ainsi conçu, le règlement intérieur s'applique aux membres du personnel salarié qui l'acceptent implicitement du seul fait de leur embauche et qui sont en conséquence dans l'obligation de s'y conformer sans restriction ni réserve.
Les règles générales et permanentes d'hygiène, de sécurité et de discipline correspondant au chapitre premier du présent règlement s'appliquent également à toute personne présente dans l'entreprise pour y exécuter un travail à quelque titre que ce soit.

Rémunération

Les acomptes sont à demander avant le 15 de chaque mois pour une distribution le 15.
Un relevé des heures supplémentaires sera fourni par le salarié et remis au plus tard le 25 du mois précédant la paie pour contrôle.
Le solde de la paie est payable le 5 du mois suivant.

II. RÈGLES GÉNÉRALES ET PERMANENTES

Règles relatives à l'hygiène et à la sécurité

• **Sécurité**

Le personnel est tenu de se conformer aux prescriptions légales et réglementaires, ainsi qu'aux consignes et notes générales et particulières relatives à l'hygiène, la sécurité du travail et la prévention des maladies professionnelles et des accidents de travail.

Le personnel est tenu de respecter scrupuleusement les consignes de sécurité en vigueur dans la société, en ce qui concerne la protection des biens et des personnes, en cas de péril et en particulier d'incendie.
Le matériel de lutte contre le feu ne peut être utilisé à d'autres fins, ni déplacé sans nécessité. Le personnel doit respecter strictement ces consignes et obéir aux instructions d'évacuation qui lui sont données.

Les conditions de circulation et de stationnement dans les locaux des personnes étrangères à la société sont soumises à l'autorisation de la direction.

Il est formellement interdit au personnel d'exécution non habilité d'intervenir, de sa propre initiative, sur toutes les machines dont l'entretien est confié à un personnel qualifié.

Afin de prévenir les accidents du travail, le personnel est tenu de respecter parfaitement l'ensemble des consignes et instructions liées à l'hygiène et à la sécurité dans le travail, tant par des consignes individuelles que par des notes de service ou par tout autre moyen.

• **Hygiène et santé**

Tout nouveau salarié se soumettra à la visite médicale obligatoire de la médecine du travail lors de son embauche et à toute visite légalement obligatoire de la médecine du travail en cours du contrat. Le salarié doit se soumettre à une visite médicale de reprise dans tous les cas prévus par la réglementation en vigueur et notamment en cas d'absence pour maladie professionnelle, d'absence pour congé de maternité, d'absence d'au moins 8 jours pour accident du travail, d'absence d'au moins 21 jours pour maladie ou accident non professionnel et en cas d'absences répétées pour raisons de santé.

Tout accident du travail, même bénin, ou tout autre dommage corporel ou non causé à un tiers doit immédiatement, sauf cas de force majeure, d'impossibilité absolue, ou sauf motif légitime, faire l'objet d'une déclaration de l'intéressé ou des témoins auprès du supérieur hiérarchique.

En cas d'arrêt de travail, les certificats médicaux relatifs à l'accident ou à la maladie professionnelle doivent être communiqués au plus tard dans les 48 heures à l'employeur.

Les salariés sont tenus de respecter les dates de congés payés sous peine de sanctions disciplinaires.

En application de l'article R 355-28-1 du Code de la santé publique et pour des raisons d'hygiène et de santé, il est interdit de fumer dans les locaux de l'entreprise.

Il est interdit de pénétrer dans l'entreprise en état d'ivresse ou sous l'emprise de la drogue et d'introduire dans l'entreprise de la drogue ou de l'alcool. Le cas échéant, il pourra être demandé au salarié occupé à l'exécution de certains travaux dangereux de se soumettre à un alcootest si son état présente un danger pour sa propre sécurité et pour celle de ses collègues, afin de faire cesser immédiatement cette situation.
Le salarié pourra toutefois demander à être assisté d'un tiers et à bénéficier d'une contre-expertise.

Règles relatives à la discipline

Tout salarié, quel que soit son emploi, doit apporter à son travail le soin nécessaire à l'accomplissement consciencieux de sa fonction pour la bonne marche de l'entreprise.

Le respect des personnes, des intérêts collectifs, des locaux, du matériel et du temps de travail s'impose à tous les membres du personnel et les règles ci-dessous doivent être particulièrement observées :

- tout manquement au respect de l'intégrité de la personne tant sur le plan physique que sur les plans psychologique et moral sera sanctionné ;
- dans l'exécution de son travail, le personnel est tenu de respecter les instructions de ses supérieurs hiérarchiques, ainsi que l'ensemble des instructions diffusées par voie de notes de service et d'affichage. Tout acte contraire à la discipline est passible de sanctions ;
- il doit de plus faire preuve de correction dans son comportement vis-à-vis de ses collègues et de la hiérarchie, sous peine de sanctions.

L'ensemble des documents et matériels détenus par le personnel dans l'exercice de ses fonctions est confidentiel et ne peut être divulgué. Ces documents et matériels doivent être restitués sur simple demande de la société en cas de modification ou de cessation du contrat de travail pour quelque cause que ce soit.

Le personnel est tenu, enfin, de faire preuve de la plus grande discrétion vis-à-vis de l'extérieur sur l'ensemble des éléments techniques, financiers ou autres dont il aurait pu avoir connaissance à l'occasion de son travail et plus particulièrement tout ce qui a trait aux procédés de fabrication de l'entreprise et de ses clients sous peine de sanctions disciplinaires, sans préjudice d'éventuelles poursuites pénales.

Toutes activités autres que celles déployées pour la bonne marche de l'entreprise sont interdites.

Il est interdit d'emprunter sans autorisation les objets appartenant à la société. Par ailleurs, l'utilisation sans autorisation, dans un but extra-professionnel, du matériel ou des services de la société est interdite.

L'horaire de travail de la société, tel qu'il est réglementairement affiché, doit être respecté et tout retard, justifié. Le contrôle des horaires de travail s'effectue par pointage individuel journalier.

Il est interdit de provoquer des réunions pendant les heures et sur les lieux de travail sous réserve de l'exercice des droits de grève et d'expression et des droits des représentants du personnel.
Le personnel est tenu de se présenter aux visites médicales et examens complémentaires prévus par la réglementation en vigueur.
Les conditions de circulation et de stationnement dans les locaux de personnes étrangères à la société sont soumises à l'autorisation de la direction.
Il est formellement interdit au personnel d'exécution non habilité d'intervenir, de sa propre initiative, sur toutes les machines dont l'entretien est confié à un personnel qualifié.
Tout accident survenu au cours du travail doit être déclaré le jour même de l'accident par le salarié, s'il en a la possibilité, par un témoin ou tout autre membre du personnel, dans le cas contraire.
Le personnel est tenu de pointer à la prise de service, au départ pour l'heure de repas, au retour de celui-ci, ainsi qu'à la fin de service.
Le salarié qui prévoit de s'absenter ou d'être retardé doit au préalable en demander l'autorisation. Toute

sortie sans autorisation ou sans motif légitime justifié constitue une absence irrégulière qui est susceptible de faire l'objet d'une sanction.
Les sorties pendant les heures de travail doivent être exceptionnelles et doivent, sauf cas de force majeure, faire l'objet d'une autorisation de la direction ou du supérieur hiérarchique. Les absences non autorisées constituent une faute et entraînent le cas échéant l'application de sanctions disciplinaires.

III. SANCTIONS

Nature et échelle des sanctions

Sanctions en d'agissements fautifs
Tout manquement à la discipline ou à l'une des dispositions du règlement intérieur, et plus généralement tous agissements d'un salarié considéré comme fautif, pourront, en fonction de la gravité des fautes et/ou de leur répétition, faire l'objet de l'une des sanctions précisées ci-après par ordre d'importance :

- sanctions du premier degré :
  - observation écrite;
- sanctions du deuxième degré :
  - avertissement écrit avec inscription au dossier;
  - mise à pied, dont la durée ne peut excéder une journée;
  - mise à pied, d'une durée de trois à huit jours;
  - rétrogradation, changement de poste avec perte de responsabilité et de rémunération;
- sanctions du troisième degré :
  - licenciement avec préavis et indemnités de licenciement;
  - licenciement pour faute grave, sans préavis et sans indemnités de licenciement;

- licenciement pour faute lourde, sans préavis, avec perte des indemnités de licenciement et des indemnités de congés payés.

Cet ordre d'énumération ne lie pas l'employeur, qui pourra adapter la sanction à la gravité de la faute commise.

Comportements entraînant un licenciement immédiat :
- état d'ébriété durant les heures de travail, au besoin constaté par un médecin ;
- départ avant l'heure de fin de service ;
- attitude grossière ou injurieuse à l'égard d'un client, d'un fournisseur, d'un collègue ou de toute personne en relation avec l'entreprise ;
- propos racistes, antisémites ou xénophobes.

Harcèlement sexuel
Selon l'article L 122-46 du Code du travail, « aucun salarié ne peut être sanctionné ni licencié pour avoir subi ou refusé de subir les agissements de harcèlement d'un employeur, de son représentant ou de toute personne qui, abusant de l'autorité que lui confère ses fonctions, a donné des ordres, proféré des menaces, imposé des contraintes ou exercé des pressions de toute nature sur ce salarié dans le but d'obtenir des faveurs de nature sexuelle à son profit ou au profit d'un tiers.
Aucun salarié ne peut être sanctionné ni licencié pour avoir témoigné des agissements définis à l'alinéa précédent ou pour les avoir relatés.
Toute disposition ou tout acte contraire est nul de plein droit ».

Droits et garanties des salariés dans le cadre de la procédure disciplinaire

Conformément aux dispositions de l'article L 122-41 du Code du travail, le respect des droits de la défense s'applique comme suit :

Aucun fait fautif ne peut être invoqué ou sanctionné au-delà d'un délai de deux mois à dater du jour où il a été porté à la connaissance de l'employeur, sauf si des poursuites pénales ont été exercées dans ce même délai.

Aucune sanction ne peut être infligée au salarié sans que celui-ci soit informé dans le même temps et par écrit des griefs retenus contre lui.

Toute sanction disciplinaire est précédée de la convocation du salarié. La convocation écrite doit indiquer l'objet de l'entretien et préciser la date, l'heure et le lieu de cet entretien. Elle doit préciser que, pour cet entretien, le salarié peut se faire assister par une personne de son choix appartenant au personnel de l'entreprise.
La convocation est soit adressée sous la forme recommandée avec avis de réception, soit remise en main propre au salarié contre décharge.

Au cours de l'entretien, l'employeur recueille les explications du salarié.
La sanction ne peut intervenir moins d'un jour franc ni plus d'un mois après le jour fixé pour l'entretien. Elle doit être motivée et notifiée à l'intéressé, soit sous la forme recommandée avec avis de réception soit remise en main propre au salarié contre décharge.

Lorsque les agissements du salarié ont rendu indispensable une mesure conservatoire de mise à pied à effet immédiat, aucune sanction définitive relative à ces agissements ne peut être prise sans que la procédure prévue à l'article précédent ait été observée.

IV. FORMALITÉS

Entrée en vigueur et affichage

Conformément aux dispositions des articles L 122-36 et R 122-13 du Code du travail, a été :

- soumis pour avis au comité d'entreprise *(ou s'il n'existe pas aux délégués du personnel)* et aux membres du comité d'hygiène, de sécurité et des conditions de travail pour les dispositions relevant de leur compétence ;
- communiqué à l'inspecteur du travail, en deux exemplaires, accompagnés de l'avis des représentants du personnel ;
- déposé au secrétariat-greffe du conseil de prud'hommes de ... *(lieu)*, le ... *(date)* ;
- affiché dans les locaux de l'entreprise sur le panneau prévu à cet effet, à compter du ... *(date)*.

Il entrera en vigueur un mois plus tard, soit le ...

Un exemplaire du présent règlement intérieur est remis à chaque salarié au moment de son recrutement.

Philippe BENNE
Gérant

Modèle 114

Lettre d'envoi du règlement intérieur à l'inspecteur du travail

Au moment où il est adopté, le règlement intérieur doit être communiqué en deux exemplaires à l'inspecteur du travail, accompagné de l'avis du comité d'entreprise ou, s'il n'existe pas, de celui des délégués du personnel.

Cet envoi est fait une fois pour toutes. Sauf modifications de certaines clauses du règlement intérieur.

Monsieur ...
Inspecteur du travail
Adresse

Date

Recommandé avec avis de réception
Objet : dépôt du règlement intérieur

Monsieur l'Inspecteur du travail,

Conformément à l'article L 122-36 du Code du travail, nous vous prions de bien vouloir trouver ci-joint deux exemplaires du règlement intérieur de la société ..., ainsi que l'avis des délégués du personnel.

Veuillez agréer, Monsieur l'Inspecteur du travail, nos salutations distinguées.

Ariane GRINCHEU
Gérante

PJ : ...

Modèle 115

Lettre à l'inspecteur du travail pour demander l'envoi du formulaire permettant de proclamer les résultats de l'élection des représentants du personnel

Monsieur ...
Inspecteur du travail
Adresse

Date

Objet : demande de formulaire de proclamation des résultats

Monsieur l'Inspecteur du travail,

Nous organisons prochainement des élections pour élire des délégués du personnel.
En conséquence, nous vous saurions gré de bien vouloir nous adresser des procès-verbaux de proclamation des résultats, ... *(ou, si votre entreprise a au moins 50 salariés, des procès-verbaux des élections de la délégation unique du personnel, modèle CERFA n° 612342).*

Veuillez agréer, Monsieur l'Inspecteur du travail, nos salutations distinguées.

François DUBEC
Gérant

Modèle 116

Réponse à la démission d'un salarié

Nom et prénom du salarié
Adresse

Date

Recommandé avec avis de réception
ou remise en main propre contre décharge

Objet : votre démission

Madame *(ou Monsieur),*

Nous avons bien pris bonne note de votre démission remise à M. ... *(ou encore : envoyée en lettre simple et reçue le ...).*
Votre préavis de ... *(mois)* commence à courir le ... *(date)* pour prendre fin le ... *(date).*
La convention collective applicable à notre entreprise accorde effectivement deux heures par jour pour recherche d'un nouvel emploi.
Vous voudrez bien vous rapprocher du service du personnel pour envisager les modalités de prise de ces deux heures, ou leur cumul en fin de contrat. Cette dernière solution vous permettrait d'être libérée(é) plus rapidement de votre obligation de présence dans notre établissement.

Nous vous prions d'agréer, Madame *(ou Monsieur),* nos salutations distinguées.

Anne-Sophie LARDET
Service du personnel

Modèle 117

Réponse négative à une demande de congé individuel de formation d'un salarié

Nom et prénom du salarié
Adresse

Date

Monsieur *(ou Madame)*,

Vous avez formulé une demande de congé individuel de formation afin de suivre un stage de ... *(nom du stage demandé, par exemple : un stage de rédacteur juridique).*
Malheureusement, nous ne pouvons répondre positivement à votre demande.
Notre entreprise ayant un effectif inférieur à dix salariés, le congé individuel de formation n'est ouvert qu'aux salariés ayant une ancienneté d'au moins trente-six mois.
Or, votre ancienneté s'élève seulement à quatorze mois.
Naturellement, vous pourrez formuler de nouveau votre demande lorsque votre ancienneté approchera de ce délai légal de trente-six mois.

Nous vous prions d'agréer, Monsieur *(ou Madame)*, nos salutations distinguées.

Charlotte DRUE
Service du personnel

Modèle 118

Lettre autorisant un salarié à ne pas exécuter son préavis ou à n'en exécuter qu'une partie

Nom et prénom du salarié
Adresse

Date

Recommandé avec avis de réception

Madame *(ou Monsieur)*,

Vous nous avez fait part de votre souhait de ne pas effectuer votre préavis consécutif à votre démission *(ou licenciement)*.
Pour vous être agréable, nous faisons droit à votre demande.
En conséquence, votre dernier jour de travail est fixé au ... *(date)*.
Vous voudrez bien noter qu'il ne vous sera versé aucune rémunération ou indemnité pour cette période de préavis non effectuée.

Veuillez agréer, Madame *(ou Monsieur)*, nos salutations distinguées.

Marie-Charlotte GLOSE
Service du personnel

Modèle 119

Lettre d'accord à un salarié qui souhaite reprendre sa démission

S'il s'agit d'un salarié auquel vous tenez, vous pouvez accepter de ne pas tenir compte de sa démission. Mais il est préférable de mentionner votre décision par écrit.

Nom et prénom du salarié
Adresse

Date

Recommandé avec avis de réception
ou remise en main propre contre décharge

Madame *(ou Monsieur),*

Par lettre ... *(simple, recommandée)* en date du ..., vous nous avez adressé votre démission à effet du ...
Nous vous en avons donné acte le ... *(date).*
Or, vous venez d'indiquer à M. ... *(nom, ou encore par lettre en date du ...)* qu'en définitive vous ne souhaitiez plus quitter votre emploi.
C'est bien volontiers que nous acceptons de ne pas prendre en compte cette démission et de continuer à vous compter parmi nos effectifs.

Nous vous prions de croire, Madame *(ou Monsieur),* l'expression de nos salutations distinguées.

Martial JOSSE
Gérant

Modèle 120

Lettre à un salarié pour refuser qu'il reprenne sa démission

Nom et prénom du salarié
Adresse

Date

Recommandé avec avis de réception
ou remise en main propre contre décharge

Madame *(ou Monsieur),*

Par lettre ... *(simple, recommandée)* en date du ..., vous nous avez adressé votre démission à effet du ...
Nous vous en avons donné acte le ... *(date).*
Toutefois, vous avez indiqué à M. ... *(nom, ou encore : par lettre en date du ...)* qu'en définitive vous ne souhaitiez plus quitter votre emploi.
Nous avons le regret de vous informer que nous considérons cette démission comme ferme et définitive.
En effet, une procédure de recrutement destinée à pourvoir votre poste après votre départ a été lancée, occasionnant ainsi des frais très lourds.
En conséquence, vous quitterez l'entreprise, comme prévu, soit le ... *(date).*

Veuillez agréer, Madame *(ou Monsieur),* nos salutations distinguées.

Patrick MAICHAND
Directeur du personnel

Modèle 121

Lettre de refus à candidature spontanée

Vous n'êtes pas obligé de donner les raisons de votre refus, mais si le candidat le demande, vous pouvez lui indiquer les critères objectifs (l'âge, le manque d'expérience, la formation...).

Madame Chantal MERCIER
29, rue Jean-Jaurès
93100 BAGNEUX

Date

Madame,

Votre curriculum vitæ a retenu toute notre attention, mais nous n'avons pas actuellement de poste à pourvoir dans votre qualification.
Nous le regrettons et vous retournons votre dossier.

Veuillez agréer, Madame, nos salutations distinguées.

Le Service du personnel

Modèle 122

Lettre de refus de recrutement après entretien

Monsieur Pierre DUMONT
29, rue de la Source
92000 NANTERRE

Date

Monsieur,

Comme suite à notre entretien en date du ..., concernant le poste de ... *(précisez)*, nous sommes au regret de vous annoncer que nous ne donnons pas suite à votre candidature.
Vous trouverez sous ce pli les documents que vous nous aviez remis.

Veuillez agréer, Monsieur, nos salutations distinguées.

Le Service du personnel

Modèle 123

Lettre informant un candidat qu'il est sélectionné

Monsieur Pierre DUMONT
29, rue de la Source
92000 NANTERRE

Date

Monsieur,

Nous avons le plaisir de vous informer que votre candidature au poste de ... a été retenue.
Nous vous prions de bien vouloir contacter téléphoniquement M. ... *(nom et numéro de téléphone)* afin de fixer avec lui les modalités de votre recrutement et la date de signature de votre contrat de travail.

Veuillez agréer, Monsieur, nos salutations distinguées.

Cécilia BARAL
Président du conseil
d'administration

Modèle 124

Rupture d'un contrat de travail à durée déterminée pour faute grave

En principe, un contrat de travail ne peut pas être rompu avant la date prévue pour sa fin. Sauf accord des parties ou faute grave du salarié. Pour l'entretien préalable, voir pages 294 et 296.

Nom et prénom du salarié
Adresse

Date

Recommandé avec avis de réception

Monsieur *(ou Madame)*,

Comme suite à l'entretien préalable que nous avons eu le ... *(date)* en présence de M. ..., nous avons le regret de vous informer que nous mettons fin à votre contrat à durée déterminée.
Cette décision est motivée par : ... *(expliquez vos griefs sans tomber dans la polémique)*.
Il s'agit de faits constitutifs d'une faute grave rendant impossible la poursuite de la relation contractuelle.

Veuillez agréer, Monsieur *(ou Madame)*, mes salutations distinguées.

Jean LOB
Gérant

Modèle 125

Accord de résiliation anticipée et amiable d'un contrat à durée déterminée

ACCORD

ENTRE
– La société ... *(dénomination)* au capital social de ... F, dont le siège social est situé ... *(adresse)*
immatriculée au Registre du commerce et des sociétés de ... *(lieu)* sous le numéro ...
Représentée par M. ... *(nom, prénom et qualité, par exemple : Madame Marie DUAL, gérante),*
D'une part
ET
– Monsieur Jean-Patrick RENART *(nom et prénom du futur salarié)* demeurant ... *(adresse)*
D'autre part.

Il a été convenu et arrêté ce qui suit :
M. ... *(nom et prénom)* avait été engagé par un contrat à durée déterminée devant prendre fin le ...
Conformément aux dispositions de l'article L 122-3-8 du Code du travail, les parties décident d'un commun accord de mettre fin par anticipation au présent contrat de travail dont l'échéance était fixée au ...
En conséquence, le présent contrat prendra fin le ... à ... heures.
Les parties conviennent qu'il n'est dû ni indemnité ni rémunération pour la période restant à courir.

Fait à ..., le ...
en double exemplaire, dont un pour chacune des parties.

Pour la société,
son gérant,
M. ...

Le salarié,
M. ...

Avant sa signature, chacun doit écrire à la main, cette formule « lu et approuvé, bon pour accord ».

Modèle 126

Lettre de convocation pour un entretien à un emploi

Monsieur Alex MISER
99, rue des Dunes
93430 ÉPINAY-SUR-SEINE

Date

Monsieur,

Votre réponse à notre annonce en date du ... dans ... *(nom du journal)* a retenu notre attention.
Nous souhaitons vous rencontrer au cours d'un entretien le
mardi 10 novembre 1997 à 15 heures,
à notre siège social. Votre interlocuteur sera M. ... *(nom de la personne qui reçoit).*
Si ces dates ou heures ne vous conviennent pas, vous pouvez convenir de les modifier en contactant directement M. ... *(nom)* au numéro suivant : ...

Dans cette attente, veuillez agréer, Monsieur, nos salutations distinguées.

Louis ROSET
Service du personnel

Modèle 127

Attestation de stage

ATTESTATION DE STAGE

Je soussigné Patrick SANKEUR, gérant de la société ... *(dénomination)*, certifie que Marie BOLET, demeurant .... *(adresse)*, a effectué un stage dans notre établissement en qualité de ... au service ..., pendant la période du ... au ...

Par ses qualités professionnelles et humaines ainsi que par sa rigueur, Marie BOLET a su trouver sa place au sein de l'équipe.
Sa présence a été satisfaisante à tous points de vue.

Fait à ..., le ...

Patrick SANKEUR
Gérant

Modèle 128

Adhésion à un centre de médecine du travail

Centre de médecine du
travail de...
Adresse

Date

Objet : adhésion

Madame, Monsieur,

Notre société envisage de recruter prochainement un ou plusieurs salariés.
En conséquence, nous vous saurions gré de bien vouloir nous adresser, par retour, un dossier nous permettant d'adhérer à votre centre de médecine du travail, en qualité d'employeur.

Veuillez agréer, Madame, Monsieur, l'expression de nos salutations distinguées.

Le Service du personnel

Modèle 129

Avertissement à la médecine du travail du recrutement d'un (ou plusieurs) salarié(s) et demande de convocation à la visite médicale

Centre de médecine du travail
Adresse

Date

Objet : visite médicale obligatoire

Madame, Monsieur,

Nous vous prions de bien vouloir convoquer à la visite médicale obligatoire, le (les) salarié(s) dont le nom suit :
– Monsieur Claude BIDET, né le ..., demeurant ... *(adresse)*, embauché le ...

Vous en remerciant, nous vous prions d'agréer, Madame, Monsieur, nos salutations distinguées.

Le Service du personnel

Modèle 130

Demande à la médecine du travail d'une visite de reprise d'un salarié

L'employeur est tenu de demander au médecin du travail de faire passer une visite médicale de reprise au salarié après une absence pour cause de maladie professionnelle, un congé de maternité, une absence d'au moins 8 jours pour cause d'accident du travail, une absence de plus de 21 jours pour cause de maladie ou accident non professionnel ou en cas d'absences répétées pour raisons de santé.

Centre de médecine
du travail de ...
Adresse

Date

Objet : visite médicale de reprise

Madame, Monsieur,

Notre salariée Madame Laura GISORS, demeurant ... *(adresse)*, vient de reprendre son travail à la suite d'un congé de maternité de ... semaines.
Conformément à l'article R 241-51, nous vous prions de bien vouloir, dans les meilleurs délais, la convoquer à la visite médicale de reprise obligatoire.

Vous en remerciant, nous vous prions d'agréer, Madame, Monsieur, l'expression de nos salutations distinguées.

Le Service du personnel

Les affichages obligatoires

Nature de l'information	*Lieu*
– Nom de l'inspecteur du travail, adresse et numéro de téléphone	local accessible au personnel
– Médecin du travail ou service médical : adresse et numéro de téléphone – Services de secours d'urgence (pompiers et SAMU) : numéros de téléphone	local accessible au personnel
– Note indiquant que la direction (ou tel service) tient à la disposition du personnel un exemplaire de la convention collective	lieu de travail et lieu d'embauche si différents
– Règlement intérieur	lieu de travail et lieu d'embauche si différents
– Informations légales relatives à l'égalité de rémunération entre les hommes et les femmes	lieu de travail et lieu d'embauche si différents
– Horaires de travail : les heures de début et de fin d'activité	lieu de travail
– Les heures et la durée des repos – Ordre des départs en congé	lieu de travail
– Consignes d'incendie et affichage résumant les consignes en cas d'accident électrique	lieu de travail

IV. VOS RELATIONS AVEC L'ADMINISTRATION FISCALE

Modèle 131

Demande à un vérificateur des impôts de reporter le début de la vérification de comptabilité

Tout écrit envoyé à l'administration fiscale doit être signé du contribuable. Pour une société, c'est son représentant légal qui doit signer (gérant, président du conseil d'administration...).

Monsieur ...
Inspecteur des impôts
Adresse

Date

Recommandé avec avis de réception
Référence : avis de vérification du ...

Monsieur l'Inspecteur des impôts,

Par un avis de vérification de comptabilité, reçu le ..., vous me précisez que votre première intervention aura lieu au siège social de la société, le ... *(date)*.
Toutefois, à mon grand regret, je ne serai pas disponible à cette date.
En effet, je dois subir une intervention chirurgicale qui me maintiendra hospitalisé pendant 15 jours, comme l'atteste le présent certificat délivré par le chirurgien.

(Indiquez la raison pour laquelle vous demandez le report du début de l'intervention, mais donnez un motif sérieux : le départ en vacances n'est pas un bon motif, sauf s'il s'agit de la période de fermeture annuelle de l'entreprise).

En conséquence, je me permets de solliciter un léger report de cette première intervention pour la réaliser à compter de l'une des dates suivantes, selon votre convenance :

- mardi 25 novembre 1997 à 9 heures ;
- jeudi 27 novembre 1997 à 14 heures ;
- vendredi 28 novembre 1997 à 9 heures et 14 heures.

Si ces dates ne rencontraient pas votre adhésion, je vous saurais gré de bien vouloir me joindre sur ma ligne ... *(si vous avez une ligne directe, indiquez-la de préférence)* pour nous entendre verbalement sur une autre date.

Vous remerciant par avance de votre compréhension, je vous prie de croire, Monsieur l'Inspecteur, à l'expression de ma considération distinguée.

Stéphane BIEL
Gérant

Modèle 132

Refus de redressements envisagés par l'inspecteur des impôts

Vous devez répondre à la notification de redressements dans les 30 jours (et non pas un mois) à dater du jour de sa réception.

Tous les courriers liés à des redressements ou à des contestations doivent être systématiquement envoyés sous la forme recommandée avec avis de réception.

Monsieur ...
Inspecteur des impôts
Adresse

Date

Recommandé avec avis de réception
Objet : réponse à la notification de redressement n° ... du ...

Monsieur l'Inspecteur des impôts,

Par notification en date du ..., dont vous trouverez copie jointe, vous nous faites part de votre intention d'apporter les rehaussements suivants aux bases d'imposition de la société ...
(Rappelez les impôts et l'année mentionnés ainsi que les rehaussements indiqués dans la notification de redressement, par exemple : impôt sur les sociétés de l'exercice 1997, taxe professionnelle de 1997...)
Nous refusons l'ensemble de ces redressements, qui ne nous semblent pas justifiés.

En effet, ... *(reprenez impôt par impôt, année par année et expliquez en quoi le redressement vous semble injustifié).*
Nous vous saurions gré de bien vouloir nous indiquer quelle suite vous comptez donner à la présente.

Nous vous prions d'agréer, Monsieur l'Inspecteur, l'expression de nos salutations distinguées.

Claire-Marine MOT
Directeur du service comptable

PJ :

Modèle 133

Réponse à une notification pour accepter des redressements et demander une réduction des pénalités d'assiette

Monsieur ...
Inspecteur des impôts
Adresse

Date

Recommandé avec avis de réception
Objet : réponse à la notification
de redressement n° ... du...

Monsieur l'Inspecteur des impôts,

Par notification en date du ..., dont vous trouverez copie jointe, vous nous faites part de votre intention d'apporter les rehaussements suivants aux bases d'imposition de la société ... *(dénomination).*
(Rappelez les impôts et l'année mentionnés ainsi que les rehaussements indiqués dans la notification de redressement, par exemple : impôt sur les sociétés de l'exercice 1997, taxe professionnelle de 1997...)
Ces redressements n'appellent pas de remarques particulières de notre part et nous les acceptons.
Toutefois, en raison de notre bonne foi, qui n'est pas en cause, et des graves difficultés que ces suppléments d'impôt vont entraîner dans une petite structure comme la nôtre, nous sollicitons la modération la plus large possible

des pénalités d'assiette (autres que les intérêts de retard) afférentes à ces redressements.

Vous remerciant de la bienveillante attention que vous voudrez bien accorder à la présente, nous vous prions de croire, Monsieur l'Inspecteur, à l'expression de nos salutations distinguées.

Serge SAIPA
Gérant

Modèle 134

Demande d'audience au chef hiérarchique de l'inspecteur des impôts

Le nom et l'adresse du supérieur hiérarchique du vérificateur sont indiqués sur les avis de vérification de comptabilité. Il peut s'agir du chef de la brigade de vérification ou du responsable de centre des impôts.

Monsieur ...
Chef de la brigade de
vérification
Adresse

Date

Monsieur le Chef de brigade,

A la suite d'une vérification de comptabilité dont la société ... *(dénomination)* a fait l'objet, l'inspecteur des impôts M. ... *(nom)* nous a adressé une notification de redressement, dont vous trouverez ci-joint copie.
M. ... *(nom du vérificateur)* ne semble pas désireux d'étudier les arguments que nous avons présentés en réponse à sa notification de redressements.

En conséquence, nous souhaitons examiner avec vous les éléments de cette affaire, au cours de l'entretien que vous voudrez bien nous accorder.
La date et l'heure étant à votre convenance.

Dans cette attente, nous vous prions d'agréer, Monsieur le Chef de brigade, l'expression de nos salutations distinguées.

Anne-France SEVAIS
Président du conseil
d'administration

Modèle 135

Demande d'audience à l'interlocuteur départemental

L'interlocuteur départemental est un fonctionnaire qui a rang de directeur. Il se trouve à la direction départementale des services fiscaux du département.

Si votre entretien avec le chef de brigade ne vous a pas donné satisfaction (ou seulement en partie), demandez audience à l'interlocuteur départemental. Ses nom et adresse sont mentionnés sur les avis de vérification.

Monsieur l'Interlocuteur
départemental
Direction départementale
des services fiscaux de ....
Adresse

Date

Objet : notification de redressement du ... n° ...
émise par ... *(nom du centre)*

Monsieur l'Interlocuteur départemental,

A la suite d'une vérification de comptabilité dont la société ... *(dénomination)* a fait l'objet, l'inspecteur des impôts, M. ... *(nom)*, nous a adressé une notification de redressement, dont vous trouverez ci-joint copie.
Nous avons rencontré M. ... *(nom)*, chef de la brigade, le ... *(date)*.

Mais cet entretien s'est révélé décevant, Monsieur le chef de brigade s'étant contenté d'entériner, dans leur intégralité, les conclusions de Monsieur l'inspecteur des impôts.
En conséquence, nous souhaitons un réexamen de cette affaire à l'occasion de l'entretien que vous voudrez bien nous accorder.
La date et l'heure étant à votre convenance.
(Ou encore : en raison d'engagements professionnels importants, un rendez-vous l'après-midi à partir de 14 heures, à la date que vous fixerez, nous conviendrait davantage).

Dans cette attente, nous vous prions de croire, Monsieur l'Interlocuteur départemental, à l'expression de notre respectueuse considération.

Charles ROSIER
Gérant

PJ : ...

Modèle 136

Réclamation contentieuse avec demande de sursis de paiement

Toute réclamation doit porter votre signature manuscrite.

Monsieur le Responsable du
centre des impôts de ...
Adresse

Date

Recommandé avec avis de réception
Objet : réclamation avec demande de
sursis de paiement

Monsieur le Responsable de centre,

Notre société a fait l'objet d'une vérification de comptabilité en ... *(année).*
Une notification de redressements n° ... en date du ... nous a été adressée le ... et une réponse aux observations du contribuable nous a été communiquée le ... *(date),* dont vous trouverez copies jointes.
Les impositions complémentaires ont fait l'objet d'un avis de mise en recouvrement le ..., dont vous trouverez copie jointe.
Ces rappels d'impôt s'élèvent à la somme de ... F, au titre du principal et de la somme de ... F, au titre des pénalités.

Nous avons l'honneur de contester ces redressements pour les motifs suivants : ... *(reprenez impôt par impôt, année par année en précisant les raisons qui motivent votre contestation).*
En conséquence, nous sollicitons la décharge des impositions pour un montant de ... F en principal et des pénalités correspondantes, soit un montant de ... F *(si vous n'avez pas le chiffrage exact, indiquez : nous sollicitons la décharge de la totalité des rappels d'impôt et pénalités mentionnées sur les avis de redressements).*
Par ailleurs, et conformément aux dispositions de l'article L 277 du Livre des procédures fiscales, nous demandons à bénéficier du sursis de paiement pour la totalité des redressements et pénalités mis à notre charge.

Veuillez agréer, Monsieur le Responsable de centre, l'expression de notre considération distinguée.

Alain PARIS
Gérant

PJ : ...

Modèle 137

Procuration fiscale autorisant un mandataire à agir

Selon l'article R 197-4 du Livre des procédures fiscales n'ont pas à justifier d'une procuration écrite les représentants légaux de la société (gérant, président du conseil d'administration...). Les salariés ne peuvent réclamer, au nom de l'entreprise, sans mandat spécial, que s'ils bénéficient d'une procuration générale établie avant la date de réclamation (directeurs généraux, chefs de service...). Les avocats inscrits au barreau n'ont pas besoin de mandat spécial pour agir.

Le mandat est à produire en même temps que la réclamation.

Procuration fiscale

Je soussigné David BERLE, agissant en tant que ... *(fonction, par exemple : gérant, président du conseil d'administration...)* de la société ... *(dénomination)*, donne par la présente tous pouvoirs à ... *(nom et prénom ou nom de l'organisme, profession et adresse)* de représenter la société ... auprès des administrations fiscales, des commissions et juridictions compétentes à l'effet de prendre connaissance de toutes pièces, de présenter toutes réclamations, demandes ou recours à quelque titre que ce soit pour l'ensemble des impositions, pénalités, ou intérêts de retard, concernant la société ... *(nom)*.

David BERLE
Gérant

Fait à ..., le ...
Signature manuscrite précédée
de la mention « **Bon pour pouvoir** »

Modèle 138

Demande d'un délai pour déposer une déclaration

Les entreprises qui déposent leurs déclarations hors délais sont assurées d'avoir un contrôle fiscal.

Monsieur le Responsable du
centre des impôts de ...
(ou Monsieur le Receveur
des impôts pour la TVA)
Adresse

Date

Recommandé avec avis de réception
Objet : report d'un délai de déclaration

Monsieur le Responsable de centre,

Notre société est tenue de déposer sa déclaration de ... *(résultats, taxe professionnelle...)* le ... *(date prévue).*
Or, à la suite de circonstances indépendantes de notre volonté, nous ne serons pas en mesure de remplir nos obligations déclaratives dans les délais légaux.
En effet, un incendie accidentel a détruit une partie de notre réseau informatique. La reconstitution des éléments comptables est en cours, mais va exiger plusieurs semaines de travail.
(Ou encore : le décès brutal de notre chef comptable a gravement perturbé le fonctionnement du service. Invoquez des raisons sérieuses et imprévisibles et non pas

farfelues comme le départ en vacances de votre comptable.)
En conséquence, nous sollicitons votre autorisation, à titre exceptionnel, pour déposer cette déclaration le ... *(date).*
Nous vous saurions gré de bien vouloir nous accuser réception de la présente.

Vous remerciant de la bienveillance que vous voudrez bien accorder à notre demande, nous vous prions de croire, Monsieur le Responsable de centre, à l'expression de nos salutations distinguées.

Pierre AMOURT
Gérant

Modèle 139

Recours à la mention expresse

Vous avez eu un doute sur la déductibilité d'une charge, l'imposition d'un produit ou d'une plus-value...

Et vous avez résolu la question à votre avantage.

L'utilisation de la « mention expresse » vous permet, si plus tard l'Administration refuse votre solution, de ne pas subir l'application des intérêts de retard, mais uniquement le rappel d'impôt en principal. La « mention expresse » consiste à attirer l'attention de l'Administration, par écrit, sur un point qui vous pose difficulté.

La lettre est à envoyer avec votre déclaration.

Monsieur le Responsable
du centre des impôts de ...
Adresse

Date

Recommandé avec avis de réception
Objet : mention expresse, article 1732 du CGI

Monsieur le Responsable de centre,

Vous voudrez bien trouver ci-joint notre déclaration de ... *(par exemple : résultats au titre de l'exercice 1997).*
Au titre des charges, nous avons déduit ligne ..., rubrique ..., une somme de ... F, correspondant à ...
(Ou encore : nous avons perçu une plus-value d'un montant de ... F au titre de ..., mais nous ne l'avons pas ajoutée à nos produits imposables.)

Conformément à l'article 1732 du Code général des impôts, nous attirons votre attention sur la solution retenue, qui nous a semblé correspondre aux dispositions de l'article ... du code général des impôts *(ou encore : de l'instruction ..., indiquez le texte sur lequel vous vous êtes basé).*

Veuillez agréer, Monsieur le Responsable de centre, l'expression de nos salutations distinguées.

François MARLIN
Président du conseil
d'administration

Modèle 140

Demande d'établissement d'un forfait par un exploitant individuel

Monsieur ...
Inspecteur des impôts
Adresse

Date

Recommandé avec avis de réception
Objet : demande de forfait

Monsieur l'Inspecteur des impôts,

Je vous saurais gré de bien vouloir me fixer un forfait au titre des Bénéfices industriels et commerciaux et de la TVA pour mon entreprise dont l'activité est ... *(indiquez la nature de l'activité, par exemple : vente de denrées alimentaires, fabrication et vente de cercueils pour chiens...)* depuis le ... *(date de début d'activité).*
A l'appui de ma demande, vous trouverez ci-joint un dossier complet comprenant ... *(un extrait K Bis, un bail commercial..., téléphonez pour connaître la nature des documents à joindre).*

Je reste à votre disposition pour toute précision complémentaire et vous prie d'agréer, Monsieur l'Inspecteur, l'expression de mes salutations distinguées.

Jean ALBERT
Chef de l'entreprise ...

Modèle 141

Acceptation du forfait proposé par l'administration fiscale

Monsieur ...
Inspecteur des impôts
Adresse

Date

Recommandé avec avis de réception
Objet : acceptation du forfait

Monsieur l'Inspecteur des impôts,

Par lettre en date du ..., vous m'avez notifié le montant des forfaits Bénéfices industriels et commerciaux et TVA pour les années ... et ...
J'accepte vos propositions pour les deux années et les deux impôts.
Pour la bonne règle, je vous retourne l'imprimé de notification, constatant mon accord, dûment daté et signé.

Vous en souhaitant bonne réception, je vous prie d'agréer, Monsieur l'Inspecteur, l'expression de ma considération distinguée.

Jean ALBERT

Modèle 142

Demande de saisine de la Commission départementale des impôts directs et des taxes sur le chiffre d'affaires pour fixation du forfait, à la suite d'un désaccord avec l'Administration

Monsieur ...
Inspecteur des impôts
Adresse

Date

Recommandé avec avis de réception
Objet : demande de saisine de
la Commission des impôts directs et TVA

Monsieur l'Inspecteur des impôts,

Par lettre en date du ..., vous m'avez notifié le montant des forfaits Bénéfices industriels et commerciaux et TVA, comme suit :
- BIC pour l'année ..., un montant de ... F;
- BIC pour l'année ..., un montant de ... F;
- TVA pour l'année ..., un montant de ... F;
- TVA pour l'année ..., un montant de ... F.

Ces chiffres me semblent très élevés par rapport à la réalité de mes affaires. Je me vois donc contraint de refuser l'ensemble de votre proposition.

Conformément à l'article L 59 A-1° du Livre des procédures fiscales, je demande la saisine de la Commission départementale des impôts directs et des taxes sur le chiffre d'affaires afin qu'elle fixe un forfait BIC/TVA au titre des deux années litigieuses.

Veuillez agréer, Monsieur l'Inspecteur, l'expression de mes salutations distinguées.

Signature

Modèle 143

Demande de sursis de paiement après réclamation contentieuse

Si dans votre réclamation contentieuse, vous avez omis de demander le sursis de paiement, vous pouvez réclamer son application par une lettre séparée.

Monsieur le Responsable
du centre des impôts de ...
Adresse

Date

Recommandé avec avis de réception
Objet : demande de sursis de paiement

Monsieur le Responsable de centre,

Notre société a fait l'objet d'une vérification de comptabilité en ... *(année)*.
Une notification de redressements n° ... en date du ... nous a été adressée le ...
Les impositions complémentaires ont fait l'objet d'un avis de mise en recouvrement le ...
Nous avons introduit une réclamation contentieuse auprès du service le ... pour contester le bien-fondé des suppléments d'impôt et solliciter un dégrèvement à hauteur du montant en principal et des pénalités.

Pour la bonne règle, vous trouverez ci-joint copies de la notification de redressement et l'avis de mise en recouvrement.
Toutefois, notre réclamation ne comportait pas de demande de sursis de paiement.
En conséquence, et conformément à l'article L 277 du Livre des procédures fiscales, nous demandons le bénéfice du sursis de paiement.

Nous vous prions de croire, Monsieur le Responsable de centre, à l'expression de notre considération distinguée.

Pierre-Yves LOIN
Directeur général

PJ : ...

Modèle 144

Envoi des statuts de votre SCI au centre des impôts

Madame …
Agent des impôts
Adresse

Date

Recommandé avec avis de réception
Objet : SCI … *(nom et adresse)*

Madame l'Agent des impôts,

Comme suite à votre demande, je vous prie de bien vouloir trouver ci-joint :
– dûment remplie et signée, la déclaration d'existence que vous m'aviez adressée ;
– un exemplaire des statuts certifié conforme à l'original par le gérant.
En outre, je vous indique que la SCI … *(dénomination)* est une société familiale qui n'exerce aucune activité.

Veuillez agréer, Madame l'Agent des impôts, mes salutations distinguées.

Signature

PJ : 2

Modèle 145

Lettre à un parlementaire pour lui demander de transmettre votre requête au médiateur de la République

Nom du Député
(ou du Sénateur)

Date

Monsieur (ou Madame) le Député (ou le Sénateur),

Je vous serais reconnaissant de bien vouloir transmettre au médiateur de la République ma requête concernant un litige qui m'oppose à ... *(par exemple : au centre des impôts de ..., à la trésorerie principale de ...).*
Je vous remercie de m'informer de la suite que vous voudrez bien donner à ma requête.

Je vous prie de croire, Monsieur (ou Madame) le Député *(ou le Sénateur),* à l'expression de mes respectueux sentiments.

Georges ROUBIN

Modèle 146

Requête auprès du médiateur de la République à la suite d'un litige avec l'administration fiscale

Monsieur le Médiateur de
la République
19, avenue d'Iéna
75007 Paris

Date

Monsieur le Médiateur de la République,

J'ai l'honneur de solliciter votre intervention dans le litige qui m'oppose à ... *(indiquez le nom de l'administration).*
Je succède aux droits et obligations de mon père Patrick SOT, décédé le ..., dans l'entreprise ... *(nom)* dont l'activité est ... *(précisez la nature de l'activité).*
Alors que mon père était hospitalisé, une vérification de comptabilité s'est déroulée pendant la période du ...
A l'issue de ces opérations de contrôle, le service des impôts a notifié des rappels d'impôts de ... augmentés de pénalités d'un montant de ... F.
Mon père déjà gravement malade n'a pu contester dans les délais légaux le bien-fondé de ces redressements.

Le ..., j'ai introduit une demande de remise gracieuse auprès du responsable de centre des impôts, qui vient de m'adresser une notification de rejet.

Les sommes dues à l'administration des impôts sont sans commune mesure avec la trésorerie et la surface financière de l'entreprise.
Étant dans l'incapacité totale de régler une somme aussi importante, l'entreprise risque d'être mise en liquidation des biens.
Or, elle emploie actuellement douze salariés, ayant pour la plupart d'entre eux des enfants à charge.
Une liquidation de l'entreprise serait gravement dommageable pour les salariés, mais aussi pour les autres partenaires de l'entreprise.
En conséquence, je sollicite votre bienveillante intervention afin que cette dette soit ramenée à des montants plus en rapport avec les capacités contributives de l'entreprise.

Vous remerciant de la bienveillante attention que vous voudrez bien accorder à la présente requête, je vous prie de croire, Monsieur le Médiateur de la République, à l'expression de mes très respectueux sentiments.

Marie SOT-LHERM

Modèle 147

Requête fiscale devant le tribunal administratif

Attention : vous devez apposer un timbre fiscal de 100 F sur votre requête. Sinon, elle est rejetée, sans être étudiée par le tribunal administratif.

Si la requête est présentée par un mandataire autre qu'un avocat, il faut joindre une procuration fiscale (voir page 359).

Monsieur le Président du
tribunal administratif de ...
Adresse

Date

Recommandé avec avis de réception

Monsieur le Président du tribunal administratif,

Par décision qui m'a été notifiée le ... *(date)*, le Responsable de centre des impôts *(ou le directeur des services fiscaux)* a rejeté la réclamation contentieuse que j'avais déposée le ...
Cette réclamation tendait à obtenir la décharge des impositions complémentaires mises à la charge de la société ... à la suite d'une vérification de comptabilité.
Le rappel d'impôt réclamé par le service s'élève à ... F en principal, auquel s'ajoutent des pénalités pour un montant de ... F.

Vous trouverez copies jointes de la notification de redressements, de l'avis de mise en recouvrement et de la réclamation contentieuse, objet du rejet.
Je conteste la décision de rejet de Monsieur le Responsable de centre et j'ai l'honneur de saisir votre juridiction aux fins d'obtenir l'annulation des impositions et pénalités susmentionnées.
Ma demande est motivée par les raisons qui suivent : ... *(précisez pourquoi vous contestez mais sans polémique).*

Je vous prie de croire, Monsieur le Président du tribunal administratif, à l'expression de mes respectueux sentiments.

Richard CHOUT
Gérant
(signature manuscrite)

Modèle 148

Demande de transaction à l'Administration à la suite d'un redressement

La transaction est une convention avec les services fiscaux visant à réduire les pénalités qu'on est en droit de vous appliquer et à vous accorder des délais de paiement.

Bien sûr, c'est donnant-donnant. Donc, en contrepartie, vous renoncez à contester les redressements qui vous ont été infligés.

La transaction est à demander au directeur des services fiscaux du département où se trouve l'activité si le montant total est inférieur à 750 000 F, auprès du directeur régional des impôts si le rappel se situe entre ce chiffre et 1 100 000 F et auprès du directeur général des impôts (à Paris) au-delà de ce chiffre. Vous avez ensuite 30 jours pour accepter l'offre de l'Administration.

La transaction est une procédure gracieuse. Cela veut dire que l'Administration n'est pas tenue d'accepter de conclure une transaction.

Monsieur le Directeur des
Services fiscaux de ...
Adresse

Date

Recommandé avec avis de réception
Objet : demande de transaction

Monsieur le Directeur des services fiscaux,

Le ... *(date)*, notre société a fait l'objet d'une vérification de comptabilité. Le ... *(date)*, l'inspecteur des impôts nous a notifié un rappel d'impôt de ... F en principal.

En outre, ce redressement fiscal a été assorti de pénalités de ... *(indiquez la nature et le taux, par exemple : des pénalités de mauvaise foi au taux de 75 %).*
Vous voudrez bien trouver copie jointe de la notification de redressement.
Ces impositions complémentaires et ces pénalités dépassent largement les capacités contributives d'une petite société comme la nôtre.
Une mise en recouvrement immédiate de telles sommes mettrait en danger la pérennité de notre société, qui emploie une dizaine de salariés. Âgés pour la plupart et sans qualification particulière, une mise en chômage serait une mesure d'une exceptionnelle dureté.

Vous remerciant de la bienveillante attention que vous voudrez bien accorder à la présente, nous vous prions de croire, Monsieur le Directeur des services fiscaux, à l'expression de nos sentiments respectueux.

Jean-Jacques BLAIN
Gérant

Modèle 149

Réclamation gracieuse auprès du directeur général des impôts

Une réclamation gracieuse ne vise pas à obtenir l'application d'un droit. Elle consiste à demander une mesure de faveur, la bienveillance, la « grâce » auprès d'une autorité.

Si tous vos recours ont été rejetés, tentez un recours auprès du directeur général des impôts, qui se trouve à Paris, quel que soit le lieu où se trouve votre entreprise.

Monsieur le Directeur
général des impôts
Adresse

Date

Recommandé avec avis de réception
Objet : réclamation gracieuse

Monsieur le Directeur général des impôts,

Notre société a fait l'objet d'une vérification de comptabilité le ... Une notification de redressement numéro ... nous a été adressée pour un montant en principal de ... F, assorti de pénalités de ... F.
Monsieur le Responsable de centre des impôts a rejeté notre réclamation contentieuse, implicitement, en conservant le silence pendant plus de six mois.

Notre société est donc redevable envers le Trésor d'une somme totale de ... F.
Il s'agit d'une charge difficilement supportable par notre petite société, qui connaît par ailleurs de graves difficultés dues à une baisse notable du volume des affaires.
Notre effectif est de 10 salariés, emplois qui sont particulièrement précieux dans une région en grande difficulté.
Même en obtenant un étalement, la société reste dans l'incapacité de faire face à une dette de cette importance.
C'est pourquoi nous sollicitons un réexamen bienveillant de la situation de notre société.
Pour vous permettre une étude précise, vous trouverez ci-joint un dossier complet concernant la vérification de comptabilité, les impositions dues ainsi qu'un état financier détaillé de nos comptes.

Vous remerciant de la bienveillante attention que vous voudrez bien accorder à la présente, nous vous prions de croire, Monsieur le Directeur général des impôts, à l'expression de nos respectueux sentiments.

Michel FLOR
Gérant

PJ : ...

Modèle 150

Option pour le paiement de la TVA sur prestations de service, d'après les débits

La TVA sur les prestations de service doit être payée au moment de l'encaissement. Toutefois, vous pouvez opter pour le paiement de la TVA sur les débits, c'est-à-dire au moment de la facturation de la prestation au client.

Pour les entreprises qui ont une multitude de petites factures, le suivi est plus simple s'il est basé sur la facture.

Dans ce cas, vos factures doivent comporter une mention précisant « TVA acquittée d'après les débits ».

Monsieur le Receveur des
impôts
Recette de ... *(lieu)*
Adresse

Date

Recommandé avec avis de réception
Référence : ...
Objet : option pour la TVA sur débit

Monsieur le Receveur,

Nous souhaitons opter pour le paiement de la TVA sur les débits. Conformément à l'article 77 annexe III du Code général des impôts, nous sollicitons votre autorisation pour une option à compter du ...

Nous vous prions de croire, Monsieur le Receveur, à l'expression de nos salutations distinguées.

Anne-Sophie MARCHAND
Gérante

Modèle 151

Lettre au comptable du Trésor pour l'informer du dépôt d'une réclamation contentieuse

Monsieur le Trésorier principal
Trésorerie de ... *(lieu)*
Adresse

Date

Référence impôt : ...

Monsieur le Trésorier principal,

J'ai l'honneur de vous informer que, le ... *(date)* j'ai introduit une réclamation contentieuse auprès du Responsable du centre des impôts de ... *(lieu)*, assortie d'une demande de sursis de paiement, conformément aux dispositions de l'article L 277 du Livre des procédures fiscales.
Pour la bonne règle, vous voudrez bien trouver ci-joint copies de la notification de redressement, de l'avis de mise en recouvrement et de la réclamation contentieuse.

Veuillez agréer, Monsieur le Trésorier principal, l'expression de ma considération distinguée.

Philippe DOUX
Gérant

Modèle 152

Lettre pour signaler une réduction des acomptes de l'impôt sur les sociétés

Monsieur le Trésorier principal
Trésorerie de ... *(lieu)*
Adresse

Date

Référence impôt : ...

Monsieur le Trésorier principal,

Je vous prie de bien vouloir trouver ci-joint, un bordereau de versement d'acompte d'impôt sur les sociétés afférent à l'exercice du ... au ...
L'anticipation des résultats de cette période m'a conduit à minorer l'acompte de ... à ...

Je vous prie de croire, Monsieur le Trésorier principal, à l'expression de ma considération distinguée.

François-Xavier BARON
Président du conseil
d'administration

Modèle 153

Demande d'un plan de règlement d'une dette fiscale

Monsieur le Trésorier principal
Trésorerie principale de ...
Adresse

Date

Recommandé avec avis de réception
Référence impôt : ...

Monsieur le Trésorier principal,

Par suite de difficultés de trésorerie passagères, nous sommes dans l'impossibilité de régler ... *(indiquez l'impôt dû, par exemple : le solde de l'impôt sur les sociétés de 1997)* qui s'élève à ... F, selon avis de mise en recouvrement dont vous trouverez copie jointe.
C'est pourquoi nous sollicitons un étalement de notre dette fiscale sur ... mois.
Nous vous joignons, en annexe, un chèque d'un montant de ... F et proposons de vous régler le solde à raison de ... F par mois jusqu'à extinction de notre dette.

Vous remerciant de la bienveillante attention que vous voudrez bien accorder à la présente, nous vous prions de croire, Monsieur le Trésorier principal, à l'expression de notre considération distinguée.

Laurent GLUFA
Gérant

Modèle 154

Lettre pour réclamer un relevé de situation sur les impositions dues par votre entreprise

Trésorerie principale de ...
Adresse

Date

Référence : ...

Madame, Monsieur,

Je vous saurais gré de bien vouloir m'adresser un relevé de situation de la société ... faisant apparaître en détail la nature et le montant des impositions dues en principal ainsi que les pénalités correspondantes.

Vous en remerciant, je vous prie d'agréer, Madame, Monsieur, l'expression de mes salutations distinguées.

Frédéric DUTY
Gérant

Modèle 155

Demande de remise gracieuse de la majoration de 10 % après respect d'un plan de règlement

Monsieur le Trésorier principal
Trésorerie principale de ...
Adresse

Date

Recommandé avec avis de réception
Référence impôt : ...

Monsieur le Trésorier principal,

Vous aviez bien voulu nous consentir un plan de ... mois pour le règlement d'un arriéré d'impôt sur les sociétés *(ou de taxe professionnelle...).*
Le ..., nous avons réglé la dernière échéance. Ainsi, notre dette en principal se trouve entièrement apurée.
Conformément à la législation, il nous a été appliqué une majoration de 10 %, soit une somme totale de ... F.
Cette majoration représente un poids important pour une petite structure comme la nôtre.
C'est pourquoi, nous sollicitons de votre bienveillance la remise de cette majoration de retard.

Vous remerciant de votre compréhension, nous vous prions de croire, Monsieur le Trésorier principal, à l'expression de nos respectueux sentiments.

Jean-Baudouin LESCAUT
Gérant

Modèle 156

Lettre informant la Trésorerie principale (impôts directs) et la Recette des impôts (TVA) du transfert du siège social

Monsieur le Comptable du
Trésor

Date

Référence impôt : ...

Monsieur le Comptable du Trésor (ou Monsieur le Receveur),

J'ai l'honneur de porter à votre connaissance la nouvelle adresse du siège social de la société ... *(dénomination)* qui sera sis ... *(adresse)*, à compter du ...
Ce transfert a été réalisé par acte sous seing privé en date du ...., enregistré à la Recette des impôts du ...

Je vous prie de croire, Monsieur le Comptable du Trésor *(ou Monsieur le Receveur)*, à l'expression de ma considération distinguée.

Maurice GELET
Gérant

Modèle 157

Demande de délais de paiement justifiée par une créance que vous doit l'État

L'État est mauvais payeur. Or, des entreprises ne peuvent pas payer leurs dettes fiscales simplement parce que l'État ne paie pas ses créances dans les délais.

Dans ce cas, les délais doivent vous être accordés.

Monsieur le Trésorier principal
Trésorerie de ...
Adresse

Date

Référence impôt : ...

Monsieur le Trésorier principal,

La société ... est redevable auprès de votre trésorerie principale d'une somme totale de ... F, correspondant aux impositions suivantes :
– impôt sur les sociétés de l'exercice 1997 : principal ... F, intérêts de retard : ... F;
– taxe professionnelle de l'exercice 1996, principal ... F, intérêts de retard : ... F.
Vous voudrez bien trouver ci-joint copies des avis d'imposition et un relevé de situation établi par vos services.
Or, la société ... est créancière de l'État pour un montant de ... F, correspondant à ... *(indiquez la nature de la créance, par exemple : à des travaux de rénovation d'un*

lycée, joignez les photocopies des documents prouvant la créance).

Conformément à l'instruction codificatrice n° 92-65-A1 du 4 juin 1992 de la direction de la comptabilité publique, nous sollicitons un étalement de notre dette fiscale, selon le plan de règlement suivant :
- chèque de ... F, ce jour;
- le ..., versement de ... F.

Nous vous remercions de la bienveillance que vous voudrez bien accorder à la présente, et vous prions de croire, Monsieur le Trésorier principal, à l'expression de nos sentiments respectueux.

Carola FLAVIE
Gérante

Modèle 158

Demande d'intervention de la Commission départementale des chefs de services financiers et des représentants des organismes de Sécurité sociale

Si vous avez de lourdes dettes vis-à-vis du fisc et des organismes de Sécurité sociale, vous pouvez demander l'intervention de cette commission. Elle va tenter de vous établir un plan de règlement de vos arriérés.

Il en existe une par département.

En outre, les comités départementaux d'examen des problèmes de financement des entreprises (Codéfi) peuvent accorder aux entreprises un étalement de leurs dettes fiscales.

Pour ces deux procédures, vous devez saisir le Trésorier payeur général (TPG) du département où se trouve l'entreprise. Pour Paris intra-muros, c'est la Recette générale des finances qui est compétente.

Monsieur le Trésorier
payeur général de ...
Adresse

Date

Recommandé avec avis de réception

Monsieur le Trésorier payeur général,

Actuellement, notre société *(ou entreprise)* est redevable envers le Trésor public d'une dette dont le montant s'élève à ... F *(indiquez le total de toutes les dettes fiscales).*

En outre, notre arriéré de cotisations auprès de l'URSSAF s'élève à la somme de ... F.
Notre trésorerie ne nous permet pas actuellement de faire face à ces dettes sans mettre en danger la pérennité de la société.
C'est pourquoi nous avons l'honneur de vous demander de bien vouloir soumettre notre situation à la Commission départementale des chefs des services financiers ainsi qu'au Comité d'examen des problèmes de financement des entreprises (Codéfi).
A l'appui de notre demande, nous vous adressons ci-joint un dossier complet comprenant notamment nos bilans, un relevé des effectifs et une situation prévisionnelle pour l'année.

Nous vous prions de croire, Monsieur le Trésorier payeur général, à l'expression de nos respectueux sentiments.

Martin CAPRI
Gérant

V. VOS RELATIONS AVEC LES ORGANISMES SOCIAUX

Modèle 159

Demande d'immatriculation auprès de l'URSSAF en qualité d'employeur (pour ceux qui recrutent pour la première fois)

URSSAF de ... *(lieu)*
Service affiliation des employeurs
Adresse

Date

Recommandé avec avis de réception

Madame, Monsieur,

Jusqu'à ce jour, notre société n'a jamais employé de salarié.
Or, nous sommes désireux de recruter un salarié à compter du ... *(date).*
En conséquence, nous vous saurions gré de bien vouloir nous adresser, par retour, les imprimés nécessaires à notre affiliation auprès de votre URSSAF en qualité d'employeur.
(Vous pouvez ajouter : nous souhaitons également recevoir le dossier permettant de bénéficier de l'exonération de cotisations sociales patronales au titre de l'embauche du premier salarié).

Avec nos remerciements anticipés, nous vous prions d'agréer, Madame, Monsieur, nos salutations distinguées.

Pierre TRAIBOT
Gérant

Modèle 160

Lettre pour accompagner le versement des cotisations salariales en cas d'impossibilité de payer les cotisations patronales

Si des difficultés vous empêchent de verser la totalité des cotisations à l'URSSAF, versez au moins la part que vous avez prélevée sur les salaires.

L'employeur qui conserve les cotisations salariales retenues risque des sanctions pénales avec notamment peines d'emprisonnement.

Monsieur le Directeur
URSSAF de ...

Date

Recommandé avec avis de réception
Numéro de cotisant : ...

Monsieur le Directeur,

Des difficultés de trésorerie passagères nous empêchent de régler la totalité des cotisations afférentes aux paies du mois de ... *(ou du ... trimestre).*
Toutefois, nous versons l'intégralité des cotisations salariales précomptées, au moyen d'un chèque joint à la présente, d'un montant de ... F, conformément au bordereau récapitulatif de cotisations ci-joint.

Le versement des cotisations patronales pour cette même période vous parviendra le ...

Vous remerciant de votre bienveillante compréhension, nous vous prions de croire, Monsieur le Directeur, à l'expression de nos respectueux sentiments.

Daniel NOSTAL
Gérant

PJ : ...

Modèle 161

Demande de remboursement de cotisations indûment payées à l'URSSAF

Si vous avez versé des cotisations non dues, vous pouvez en obtenir le remboursement dans le délai d'un an à compter du paiement. Vous n'avez pas à prouver qu'il s'agit d'une erreur, il suffit qu'il y ait eu un trop-versé.

Monsieur le Directeur
URSSAF de ...

Date

Recommandé avec avis de réception
Numéro de cotisant : ...

Monsieur le Directeur,

Par bordereau en date du ..., nous avons réglé une somme de ... F, correspondant à des cotisations salariales et patronales pour la période du ...
Or, une erreur a été commise par notre comptable.
(Expliquez l'erreur.)
En effet, il a appliqué des cotisations patronales sur les paies de deux salariés recrutés sous un dispositif d'exonération de charges.

M. ... *(nom du salarié)* a été recruté dans le cadre du dispositif « embauche du premier salarié » avec exonération de cotisations patronales, et M. ... *(nom du salarié),* recruté au titre d'un contrat emploi-solidarité prévoyant des cotisations patronales allégées.
(Ou encore, il a calculé la cotisation d'assurance-maladie au taux de ... alors que le taux en vigueur à l'époque s'élevait à ...)
Ainsi, le montant du bordereau récapitulatif des cotisations aurait dû s'élever à la somme de ... F, au lieu de ... F, soit une différence en notre faveur de ... F, que nous vous saurions gré de bien vouloir nous rembourser ou nous autoriser à imputer lors de l'un de nos prochains versements.
Pour la bonne règle, vous trouverez ci-joint copie des différentes pièces.

Nous vous prions de croire, Monsieur le Directeur, à l'expression de nos respectueux sentiments.

Robert BIRAG
Gérant

PJ : ...

Modèle 162

Proposition d'un plan de règlement des cotisations sociales à l'URSSAF

Monsieur le Directeur...
URSSAF de ...

Date

Recommandé avec avis de réception
Numéro de cotisant : ...

Monsieur le Directeur,

Des difficultés de trésorerie passagères nous empêchent de régler les cotisations afférentes aux paies du mois de ... *(ou du ... trimestre).*
Toutefois, nous versons l'intégralité des cotisations salariales précomptées, au moyen d'un chèque joint à la présente, d'un montant de ... F, conformément au bordereau récapitulatif de cotisations ci-joint.
En ce qui concerne le règlement des cotisations patronales pour cette même période, d'un montant de ... F, nous sollicitons un étalement sur ... mois.
Nous nous engageons à effectuer un versement de ... F, le ... *(date, par exemple : le 10, le 20...)* de chaque mois, jusqu'à extinction de notre dette.

Vous remerciant de votre bienveillante compréhension, nous vous prions de croire, Monsieur le Directeur, à l'expression de nos respectueux sentiments.

Hervé DOUT
Gérant

PJ : ...

Modèle 163

Demande de remise de majorations de retard à l'URSSAF en cas de première infraction

Les majorations de retard font l'objet d'une remise automatique (article R 243-19-1 du Code de la Sécurité sociale), par le directeur de l'URSSAF, s'il s'agit de la première infraction constatée sur la période des quatre trimestres précédents.

Cette remise automatique est subordonnée à deux autres conditions : vous devez avoir réglé les cotisations en principal et celles-ci ne doivent pas dépasser 40 % du plafond de la Sécurité sociale. (Il est fixé à 164 640 F en 1997.)

En fait, cette mesure s'applique plutôt aux petits cotisants qui, par oubli ou ignorance, n'auraient pas respecté leurs obligations.

Monsieur le Directeur
URSSAF de ...
Adresse

Date

Recommandé avec avis de réception

Monsieur le Directeur,

J'ai acquitté mes cotisations sociales du ... *(mois de novembre 1997, 3e trimestre 1997...)* tardivement. Par suite, des majorations de retard m'ont été appliquées.
Conformément à l'article R 243-19-1 du Code de la Sécurité sociale, j'ai l'honneur de solliciter la remise automatique de ces majorations.

En effet, il s'agit de ma première infraction, le montant en principal a été réglé et il est inférieur à 40 % du plafond annuel de la Sécurité sociale.
A l'appui de ma demande, je vous joins la copie des différentes pièces.

Vous remerciant de l'attention que vous voudrez bien accorder à la présente, je vous prie de croire, Monsieur le Directeur, à l'expression de mes respectueux sentiments.

Jean-Patrick ORAGE
Gérant

PJ : ...

Modèle 164

Demande de remise gracieuse de majoration de retard à l'URSSAF

En cas de bonne foi dûment prouvée (article R 243-20 du Code de la Sécurité sociale), vous pouvez demander au directeur de vous faire grâce des majorations de retard, après avoir réglé les cotisations dues en principal.

Être de bonne foi, cela veut dire que vous n'avez pas cherché à frauder. A titre d'exemple a été jugé comme n'étant pas de bonne foi un employeur qui avait produit un talon de chèque faisant ressortir qu'il n'avait émis le chèque de paiement que le lendemain de la date d'exigibilité du règlement.

Autrement dit, ne prenez pas les agents de l'URSSAF (du fisc, des ASSEDIC...) pour des sots. Si vous êtes en difficulté, jouez plutôt la carte de la franchise.

Monsieur le Directeur
URSSAF de ...
Adresse

Date

Recommandé avec avis de réception

Monsieur le Directeur,

Nous avons acquitté nos cotisations sociales du ... *(mois de novembre 1997, 3e trimestre 1997...)* tardivement, soit le ... *(date de paiement)* au lieu du ... *(date d'exigibilité).* Des majorations de retard s'élevant à ... F ont été mises à notre charge.

Ces sommes représentent une charge importante pour une structure moyenne comme la nôtre et dépassent largement ses facultés contributives.
En outre, nous sommes confrontés à de grosses difficultés de trésorerie et à une situation précaire dues aux difficultés que traverse notre secteur *(ou notre région...).*
C'est pourquoi nous sollicitons de votre bienveillante compréhension la remise la plus large possible de ces majorations de retard.
A l'appui de notre demande, nous joignons la copie des différentes pièces.

Vous remerciant de l'attention que vous voudrez bien accorder à notre requête, nous vous prions de croire, Monsieur le Directeur, à l'expression de nos respectueux sentiments.

Jean-Joël MIGNON
Président du conseil
d'administration

PJ :

Modèle 165

Saisine de la commission de recours amiable de l'URSSAF

En cas de litige avec l'URSSAF, vous ne pouvez pas saisir directement les tribunaux. Vous devez auparavant soumettre le différend à la Commission de recours amiable.

Monsieur le Président de
la Commission de recours
amiable
URSSAF de ...
Adresse

Date

Recommandé avec avis de réception
Objet : saisine de la Commission

Monsieur le Président,

Nous avons l'honneur de présenter un recours devant la Commission que vous présidez à l'encontre d'une décision qui nous a été notifiée par l'URSSAF le ...
(Rappelez ensuite les faits.)
A la suite d'un contrôle en date du ..., Madame ... *(nom),* agent de contrôle de l'URSSAF, a requalifié en salaires certains versements et procédé à leur réintégration dans l'assiette des cotisations de Sécurité sociale.
Il s'agit de sommes qui ont été versées à une personne extérieure à l'entreprise pour ... *(précisez le travail réalisé, par exemple : pour la rédaction du livret d'accueil des clients.* Ces versements ont été soumis au régime des

droits d'auteur. Le rédacteur a travaillé à son domicile et à sa convenance et n'a donc jamais eu de lien de subordination avec l'entreprise).
En conséquence, nous contestons la requalification réalisée par l'agent de l'URSSAF.
Nous demandons à la Commission de bien vouloir réexaminer la décision de l'agent de l'URSSAF et d'annuler les cotisations sociales complémentaires mises à notre charge.
Nous joignons, en annexe, le dossier complet contenant les différentes pièces.

Veuillez agréer, Monsieur le Président, l'expression de nos respectueux sentiments.

Benjamin LETORD
Gérant

PJ : ...

Modèle 166

Saisine du tribunal des affaires de Sécurité sociale

Vous avez un litige avec l'URSSAF, et sa Commission de recours amiable a rejeté votre requête. Vous pouvez alors saisir le tribunal des affaires de Sécurité sociale pour qu'il juge le litige.

Monsieur le Président
Tribunal des affaires de
Sécurité sociale
Adresse

Date

Recommandé avec avis de réception
Objet : recours contentieux

Monsieur le Président,

Par décision en date du ..., la Commission de recours amiable de l'URSSAF de ... *(ville)* a rejeté la réclamation que nous avions effectuée au sujet de ... *(indiquez l'objet du litige).*
Nous avons l'honneur de demander que le tribunal que vous présidez soit saisi de cette affaire.
Vous voudrez bien trouver en annexe les arguments et les éléments que nous entendons faire valoir à l'appui de notre demande, une copie de notre requête initiale devant la Commission de recours amiable et une copie de la décision de cette commission.

Nous vous prions de croire, Monsieur le Président, à l'expression de nos sentiments respectueux.

Didier FRISSON
Président du conseil
d'administration
(Signature manuscrite)

PJ : ...

Modèle 167

Opposition à contrainte auprès du tribunal des affaires de Sécurité sociale

Si vous ne répondez pas à la mise en demeure ou à l'avertissement de payer dans le délai d'un mois, l'URSSAF peut vous décerner une contrainte, c'est-à-dire vous envoyer devant le tribunal des affaires de Sécurité sociale pour vous faire condamner.

Pour pouvoir vous défendre, vous devez former une opposition à contrainte dans les 15 jours suivant celui où l'huissier de justice vous a délivré la contrainte.

Celle-ci doit être motivée, c'est-à-dire que vous devez dire pourquoi vous êtes en désaccord avec la demande de l'URSSAF. Vous devez, en outre, joindre une copie de la contrainte à votre lettre d'opposition.

Secrétariat-greffe du
tribunal des affaires de
Sécurité sociale
Adresse

Date

Recommandé avec avis de réception
Objet : opposition à contrainte

Madame, Monsieur,

Conformément aux dispositions de l'article R 133-3 du code de la Sécurité sociale, nous formons opposition devant votre juridiction à la contrainte qui nous a été

délivrée, le ... *(date)* par Maître ... *(nom),* huissier de justice à ..., sur demande de l'URSSAF de ... *(lieu).* Vous trouverez copie jointe de cette contrainte.
Cette opposition à contrainte est motivée par ... *(expliquez les motifs de votre opposition).*

Veuillez agréer, Madame, Monsieur, nos salutations distinguées.

Aurélia POIX
Gérante

PJ : ...

Modèle 168

Lettre aux ASSEDIC pour leur demander de se prononcer sur votre situation de gérant au regard de l'assurance-chômage

Si vous êtes uniquement dirigeant de la société (gérant, président du conseil d'administration...), vous êtes exclu du régime de l'assurance-chômage, même si vous avez le statut de gérant minoritaire.

En revanche, si vous êtes titulaire d'un contrat de travail, correspondant à des fonctions techniques, absolument distinctes de vos fonctions de mandataire social (gérant, président du conseil d'administration), et qu'il existe un lien de subordination entre vous et la société, vous pouvez éventuellement prétendre au régime de l'assurance-chômage.

Attention, des fonctions administratives ne sont pas des fonctions techniques, puisque l'administration des affaires fait partie de la mission normale du gérant.

Mais, en pratique, les ASSEDIC admettent rarement l'existence de ce lien de subordination.

Le fait que l'on accepte vos cotisations n'a aucune valeur.

Pour éviter de cotiser inutilement, il est préférable d'interroger préventivement les ASSEDIC sur votre situation. Vous recevez une fiche à remplir, et au vu de ce dossier, les ASSEDIC vous donneront un avis qui les engagent.

En outre, cela vous permet, si l'avis des ASSEDIC est négatif, de cotiser à un régime (privé) d'assurance-chômage des dirigeants et mandataires sociaux.

ASSEDIC de ...
Adresse

Date

Recommandé avec avis de réception

Madame, Monsieur,

Titulaire de ... % du capital *(par exemple 49 %)*, je suis gérante de la SARL ... *(dénomination)* et, en outre, titulaire d'un contrat de travail pour des fonctions techniques de ... *(précisez exactement la nature des fonctions techniques : chauffeur, ingénieur agronome...)*.
Je vous saurais gré de bien vouloir m'indiquer si, en cas de perte de mon emploi, je pourrais bénéficier de la couverture chômage au titre de mon contrat de travail.
A l'appui de ma demande, je vous joins la copie des statuts, du procès-verbal de ma nomination de gérante et de mon contrat de travail.

Veuillez agréer, Madame, Monsieur, mes salutations distinguées.

Sarah CASSENOIT
Gérante

PJ : ...

Modèle 169

Demande de remboursement des cotisations versées aux ASSEDIC

Si les ASSEDIC vous ont donné un avis négatif sur votre situation au regard de l'assurance-chômage, demandez le remboursement des cotisations versées jusqu'à 5 ans en arrière.

Pour Paris et la petite couronne, la demande est à présenter au GARP (Groupement des ASSEDIC de la région parisienne) et, pour le reste de la France, aux ASSEDIC où vous payez les cotisations.

Monsieur le Directeur
ASSEDIC de ...
(ou GARP)
Adresse

Date

Recommandé avec avis de réception

Monsieur le Directeur,

Je cumule un mandat de gérant de la SARL ... *(dénomination)* avec un contrat de travail pour des fonctions de ...
Toutefois, les ASSEDIC de ... *(lieu)*, par décision en date du ..., ont rendu un avis négatif et estimé que je ne puis bénéficier de la couverture de l'assurance-chômage des salariés.

Les cotisations versées à votre caisse deviennent donc sans objet.
En conséquence, je sollicite le remboursement de ces versements devenus des indus, pour la période du … *(date)* au … *(date)*.
Je vous remercie de réserver une suite favorable à ma requête.

Veuillez agréer, Monsieur le Directeur, l'expression de mes sentiments respectueux.

Joël PIVEL
Gérant

Modèle 170

Demande de dossiers de convention de conversion aux ASSEDIC, en vue d'un licenciement économique

ASSEDIC de ...
Adresse

Date

Madame, Monsieur,

Nous envisageons de procéder prochainement à des licenciements pour motif économique.
Nous vous prions de bien vouloir nous adresser une dizaine de dossiers et de formulaires d'adhésion à la convention de conversion, afin que nous puissions les remettre à nos salariés, conformément à la législation en vigueur.

Vous en remerciant, nous vous prions de croire, Madame, Monsieur, à l'expression de nos salutations distinguées.

Joseph BULET
Président du conseil
d'administration

INDEX

A

B

C

E

F

G, H

I, J

L

M

N

O

P

Q, R

S

T, U, V

ADRESSES UTILES

Agence nationale pour la création d'entreprise (A.N.C.E.)
14, rue Delambre – 75682 Paris Cedex 14 – Tél. 01 42 18 58 58.

Étude Bernard MONASSIER, notaire (spécialisé en droit des affaires)
3, rue Duvergier – 75 019 Paris – Tél. 01 40 34 18 79.

Étude Michel GIRAY, notaire (spécialisé en droit des affaires)
6, rue Mironesnil – 75008 Paris – Tél. 01 42 66 24 06.

Les Petites Affiches (journal d'annonces légales)
2, rue de Montesquieu – 75001 Paris – Tél. 01 42 61 56 14.

Les Annonces du Moniteur (groupe Moniteur)
17, rue d'Uzès – 75108 Paris Cedex 02 – Tél. 01 40 13 30 30.

Ministère des Entreprises et du Développement
80, rue de Lille – 75007 Paris – Tél. 01 43 19 24 24.

Direction générale des impôts
139, rue de Bercy – 75012 Paris – Tél. 01 40 04 04 04.

Assemblée des chambres françaises de commerce et d'industrie (A.C.F.C.I.)
45, avenue d'Iéna – 75116 Paris – Tél. 01 40 69 37 00.

Association pour le droit à l'initiative économique (A.D.I.E.)
111, rue Saint-Maur – 75011 Paris – Tél. 01 43 14 09 67.

Agence nationale pour la valorisation de la recherche (A.N.V.A.R.)
43, rue Caumartin – 75436 PARIS Cedex 09 – Tél. 01 40 17 83 00.

Ordre des experts-comptables
153, rue de Courcelles – 75017 Paris – Tél. 01 44 15 60 00.

Minitel : 3617 VERIF (pour obtenir des informations sur les entreprises).

Fédération française des clubs de créateurs et repreneurs d'entreprises (F.F.C.C.R.E.)
Tour Winterthur – 92085 Paris La Défense Cedex 18.

Association nationale pour le développement des jeunes entreprises
204, boulevard Raspail – 75014 Paris – Tél. 01 44 10 54 34.

Journal officiel
26, rue Desaix – 75727 Paris Cedex 15 – Tél. 01 40 58 75 00.

Assemblée permanente des chambres de métiers (A.P.C.M.)
12, avenue Marceau – 75008 Paris – Tél. 01 44 43 10 00.

Médiateur de la République
53, avenue d'Iéna – 75116 Paris – Tél. 01 45 02 72 72.

Centre interministériel de renseignements administratifs (C.I.R.A.)
renseignements gratuits et anonymes
Paris : 01 40 01 11 01
Bordeaux : 05 56 11 56 56
Lille : 03 20 49 49 49
Marseille : 04 91 26 25 25
Toulouse : 05 62 15 15 15

Direction générale de la concurrence, de la consommation et de la répression des fraudes
53, boulevard Vincent-Auriol – 75703 Paris Cedex 13 – Tél. 01 44 87 17 17.

BIBLIOGRAPHIE SOMMAIRE

Droit des sociétés, Maurice Cozian et Alain Viandier, éd. Litec.
Mémento fiscal, Francis Lefebvre.
Lamy Droit social, éd. Lamy.
Code de commerce, éd. Litec.
Responsabilité fiscale des dirigeants de société, Yves Saint-Aure, éd. Liaisons.
Comment prévenir les impayés, éd. Dalian.

Achevé d'imprimer par
Brodard et Taupin
en septembre 1997
pour le compte
des Éditions Générales F1RST

N° d'édition : 437
Dépôt légal : septembre 1997
N° d'impression : 6684S-5
Imprimé en France